715

DE NOS JOURS

Morgan Kenney

Victor Burville
Brian Hickox
John Hill
Crawford Potter

D. C. Heath Canada Ltd.

ACKNOWLEDGEMENTS

The authors wish to express their sincere gratitude to the many students and teachers who classroom-tested these materials before they were published.

The students' level of achievement, their enthusiasm, their positive, creative attitude have confirmed our beliefs in the program.

The encouragement we have received from teachers, their helpful suggestions and recommendations have been invaluable as we have continued the development of the program.

For her careful preparation of the vocabulary sections we sincerely thank Helen Hill.

We also recognize with gratitude the good faith of D. C. Heath Canada Ltd. who have not only recognized the needs of present-day students of French, but who have allowed us to achieve a quality of production in our materials of which we can be justly proud.

Morgan Kenney
Victor Burville
Brian Hickox
John Hill
Crawford Potter

MANUSCRIPT CO-ORDINATOR: Petra Kenney

EDITED BY: Thérèse Lior
DESIGN: Barry Rubin Ink
ILLUSTRATION: Larry Hall
LINE WORK: Martha Dorion

Photo credits: Victor Burville, 76, 81, 83, 87; *The Canadian Magazine* 26, 76 (rodeo), 108 (left); Gordie Howe Enterprises 112; Ontario Ministry of Industry and Tourism 27 (right), 73, 109 (right); Miller Services Limited 22, 48 (lower left and right), 114; NASA 58, 74, 75; Birgitte Nielsen, title pages; Baldwin Gallery of Photography 48, John Phillips (upper left), Laura Jones (upper right); James Warren 18-19; Andrew Phillips 106-107; Barry Rubin 26 (top right); Susan Crowell 26 (bottom); John Carney 27 (left); The Royal Bank of Canada 45; Manpower and Immigration 54 (left); Moira Armour 54 (right); Imperial Oil Limited 84; Original painting by Montreal artist André L'Archevêque, specially commissioned by the Prudential Insurance Company of America for its "Great Moments in Canadian Sport" collection 110; Quebec Government Office 80. Cover photography courtesy of the Canadian Tampax Corporation Ltd., Barrie, Ontario.

Printed in Canada

ISBN 0-669-95455-1

TABLE OF CONTENTS

21
Qui est là?

Vendredi dernier mes parents sont partis pour New York, et je suis restée seule à la maison.

Rien d'intéressant à la télé! Alors j'ai commencé à lire un roman policier. Vers minuit je me suis endormie, le livre à la main. Tout à coup je me suis réveillée.

"Il y a quelqu'un dans la cuisine! ... Non! Ce n'est rien. C'est mon imagination. Il n'y a personne."

Mais peu après j'ai entendu le bruit de nouveau.

"Il y a vraiment quelqu'un! J'en suis sûre!"

Je me suis levée et je suis descendue silencieusement. Tout doucement j'ai ouvert la porte et...

seul alone

rien nothing

lire to read

roman policier (m)
    detective story
vers around
endormi fell asleep

personne no one

peu après
    shortly after
de nouveau again

vraiment really

sûr sure, certain

tout doucement
    very gently
ouvert opened

5

LE VERBE **LIRE** (TO READ)

LE PRÉSENT

je **lis***	nous **lisons**
tu **lis**	vous **lisez**
elle **lit**	ils **lisent**
qui **lit**	elles **lisent**

*I read, I do read, I am reading

LE PASSÉ COMPOSÉ

j'ai **lu***
tu n'as pas **lu**

*I read, I did read, I have read

Quel verbe? **Lire** ou **mettre**?

1. La semaine passée j'___ un livre intéressant.
2. Où est mon magazine? – Je l'___ sur la table.
3. Tous les soirs il ___ le journal.
4. En ce moment ils ___ un roman policier.
5. ___ les magazines sur le bureau, s'il vous plaît. Vous pouvez les ___ plus tard.
6. Que faites-vous? – Nous ___ .
7. Si tu vas patiner, ___ ton chandail.
8. Quelle histoire est-ce que vous ___ maintenant?
9. Quand est-ce que vous ___ ce livre? – Hier soir.
10. ___ cette histoire, s'il te plaît!

ELLE NE LIT PAS BIEN.

6

Le Passé Composé des Verbes Réfléchis

ON DIT 1

1. introduction

Listen to the following sentence. Then substitute the verb suggested.

> Je me suis lavé. (rasé)
> **Je me suis** rasé. (couché)
> **Je me suis** couché.

Je me suis lavé. (rasé, couché)... Tu t'es lavé. (rasé, couché)... Nous nous sommes lavés. (rasés, couchés)... Il s'est lavé. (rasé, couché)... Vous vous êtes lavé. (rasé, couché)... Ils se sont lavés. (rasés, couchés)

2. present ——▶ past

Put into the past tense.

> Nous nous couchons.
> Nous nous **sommes couchés.**

Nous nous couchons. ... Il se couche. ... Tu te couches. ... Je me couche. ... Les enfants se couchent. ... Vous vous couchez. ... Nous nous couchons.

3. negative

Put into the negative.

> Elle s'est lavée.
> Elle **ne** s'est **pas** lavée.

Elle s'est lavée. ... Je me suis lavé. ... Nous nous sommes lavés. ... Tu t'es lavé. ... Ils se sont lavés. ... Vous vous êtes lavés. ... Nous nous sommes lavés. ... Je me suis lavé.

4. various subjects

Repeat the following sentence. Then substitute the words suggested.

> Je me suis réveillé.
> Je me suis réveillé. (Paul)
> **Paul s'est** réveillé.

Je me suis réveillé. ... Paul ... Nous ... Paul et Jean ... Tu ... Qui ... Vous ... Marie ... Je

Je me suis rasé ce matin.

ON LIT 1

e muet

Lisez à haute voix.

1. Je me suis lavé.
2. Je ne me suis pas lavé.
3. Vous ne vous êtes pas lavé.
4. Tu ne t'es pas lavé.

5. Je me suis rasé.
6. Tu ne t'es pas maquillée.
7. Je ne me suis pas couché.
8. Vous ne vous êtes pas lavé.

LE POURQUOI 1

The **Passé Composé** of Reflexive Verbs

In the **passé composé** of reflexive verbs the auxiliary verb is **être**.

In most cases the past participle agrees with the **subject**.

Elles se sont levé**es** tôt.

They got up early.

MASCULINE	FEMININE
je me suis levé*	je me suis levée
tu t'es levé	tu t'es levée
vous vous êtes levé	vous vous êtes levée
Marc s'est levé	Anne s'est levée
nous nous sommes levés	nous nous sommes levées
vous vous êtes levés	vous vous êtes levées
mes frères se sont levés	mes soeurs se sont levées

*I got up, I did get up, I have got up

Note:

In the negative, the pattern is:

Je **ne** me suis **pas** levé.

ON ÉCRIT 1

1. m(e), t(e), s(e), nous, vous?

Elles ___ sont levées.
Elles se sont levées.

1. Tu ___ es couché?
2. Nous ___ sommes rasés.
3. Je ___ suis arrêté.
4. Elle ___ est maquillée.
5. Vous ___ êtes lavé.
6. Ils ___ sont habillés.
7. On ___ est amusé.
8. Qu'est-ce qui ___ est passé?

2. Complétez au passé.

1. Qui ___ levé?
2. Vous ___ endormi?
3. Elles ___ couchées.
4. Je ___ lavé.
5. Nous ___ arrêtés.
6. On ___ rasé.
7. Tu ___ réveillée?
8. Ils ___ amusés.

3. Écrivez le participe passé.

se maquiller: Elles se sont ___.
Elles se sont maquillées.

1. se coucher:
   Vous vous êtes ___ tard, Janine!
2. se laver:
   Qui s'est ___ dans la cuisine?
3. s'arrêter:
   Pourquoi est-ce que tu t'es ___, Alain?
4. s'amuser:
   Vous vous êtes ___, vous deux?
5. se réveiller:
   Elle s'est déjà ___?
6. se lever:
   Quand est-ce qu'elles se sont ___?
7. se raser:
   Ils se sont ___.
8. se passer:
   Qu'est-ce qui s'est ___?

Pourquoi est-ce que tu t'es arrêté si vite, Alain?

4. Écrivez au passé.

se laver: Je ____ tôt ce matin.
    Je me suis lavé tôt ce matin.

1. se réveiller:
   A quelle heure est-ce que tu ____?
2. s'amuser:
   Vous ____ hier soir?
3. se laver:
   Attendez! Les enfants ne ____ pas encore ____!
4. se raser:
   Est-ce que Pierre ____?
5. s'arrêter:
   Nous ne ____ pas ____ à Halifax.
6. se maquiller:
   Est-ce que Marie ____?
7. se lever:
   Elles ne ____ pas ____ tôt dimanche.
8. s'habiller:
   Un moment! Je ne ____ pas encore ____!

5. Écrivez au négatif.

Je me suis rasé.
Je ne me suis pas rasé.

1. Jeanne s'est réveillée.
2. Tu t'es lavé?
3. Vous vous êtes couché tôt.
4. Je me suis habillé dans ma chambre.
5. Nous nous sommes endormis.
6. Les autobus se sont arrêtés.

6. Mettez au passé.

1. Qu'est-ce qui se passe?
2. Ma soeur ne se maquille pas.
3. Ils se réveillent à huit heures.
4. Où est-ce que tu t'arrêtes, Sylvie?
5. Je ne me rase pas.
6. Est-ce que vous vous levez tôt?
7. On se couche à onze heures.
8. Nous ne nous arrêtons pas à Montréal.
9. Marie et Suzanne s'amusent au match.
10. Il se réveille plus tard.

7. Qu'est-ce qu'on dit en français? Attention! Présent ou Passé?

1. Suzanne had a good time.
2. He doesn't shave.
3. You do get up early!
4. What happened?
5. They went to bed late.
6. Does she dress well?
7. I didn't wake up at 6 o'clock.
8. We're having a good time.

Les Négatifs: Rien, Personne

ON DIT 2

1. quelque chose ──────▶ rien /
quelqu'un ──────▶ personne

Put into the negative.

> J'entends **quelque chose.**
> Je **n'**entends **rien.**
>
> J'entends **quelqu'un.**
> Je **n'**entends **personne.**

J'entends quelque chose. . . . J'entends quelqu'un. . . . Je mange quelque chose. . . . Il attend quelqu'un. . . . Nous voulons quelque chose. . . . Nous achetons quelque chose. . . . Je vois quelqu'un. . . . Elle aide quelqu'un. . . . Je demande quelque chose. . . . Ils entendent quelqu'un.

2. rien / personne

Answer with one word — **personne** or **rien.**

> **Qui** va y aller?
> **Personne.**

Qui va y aller? . . . Qu'est-ce que tu cherches? . . . Qu'est-ce qui s'est passé? . . . Qui est-ce que tu as vu? . . . Qu'est-ce que tu veux? . . . Qu'est-ce qui est sur le lit? . . . Qui est dans le salon? . . . Qui est-ce que tu attends?

3. **rien** / **personne**: subject of sentence

Put into the negative.

> **Quelqu'un** peut entrer.
> **Personne ne** peut entrer.

Quelqu'un peut entrer. . . . Quelque chose peut tomber. . . . Quelque chose va se passer. . . . Quelqu'un va venir. . . . Quelqu'un est sorti. . . . Quelque chose est tombé.

JE NE VOIS RIEN!

LE POURQUOI 2

The Negatives *Rien, Personne*

Ne ... rien (nothing, not anything) and **ne ... personne** (no one, not anyone) are negative expressions like **ne ... pas.**

Je **ne** vois **pas.**	I don't see.
Je **ne** vois **rien.**	I don't see **anything.**
Je **ne** vois **personne.**	I don't see **anyone.**

Notes:

1. Whenever **rien** or **personne** appears in a complete sentence, **ne** is always found before the verb.

   Il **ne** fait rien. He does nothing.

2. **Rien** and **personne** may be one word answers to questions.

   Qui est là? – **Personne.**
   Who's there? **No one.**

   Qu'est-ce que tu veux? – **Rien.**
   What do you want? **Nothing.**

3. **Rien** and **personne** may also begin a sentence.

Rien n'est tombé.	**Nothing** fell.
Personne n'est venu.	**No one** came.

4. **Ne ... rien** is the opposite of **quelque chose,** and **ne ... personne** is the opposite of **quelqu'un.**

Tu veux **quelque chose?**	Do you want **something?**
Non, je **ne** veux **rien.**	No, I don't want **anything.**

Tu vois **quelqu'un?**	Do you see **someone?**
Non, je **ne** vois **personne.**	No, I don't see **anyone.**

ON ÉCRIT 2

1. Écrivez au négatif.

   Elle écoute **quelqu'un.**
   Elle n'écoute personne.

   1. Il attend quelqu'un.
   2. Je veux quelque chose.
   3. Vous cherchez quelque chose?
   4. Tu vois quelqu'un?
   5. Nous achetons quelque chose.
   6. Elle entend quelqu'un.

2. Répondez au négatif.

   Tu vois **quelqu'un**?
   Non, je ne vois personne.

   Quelque chose est arrivé?
   Non, rien n'est arrivé.

   1. Quelqu'un est venu hier?
   2. Tu cherches quelqu'un?
   3. Quelque chose est tombé?
   4. Pierre regarde quelque chose?
   5. Quelqu'un peut comprendre?
   6. Vous voulez quelque chose, vous deux?
   7. Tu attends quelqu'un?
   8. Il y a quelque chose dans le tiroir?

3. Qu'est-ce qu'on dit en français?

   1. I'm waiting for someone.
   2. I'm not waiting for anybody.
   3. No one is waiting.
   4. I want something.
   5. I don't want anything.
   6. Nothing fell.
   7. Are you looking for somebody?
   8. I'm not looking for anything.
   9. Who's there? No one.
   10. What are you doing? Nothing.

TOUT ENSEMBLE

1 L'Accord du Participe Passé

LE POURQUOI

In the **passé composé** *two* kinds of agreement are possible.

1. The past participle of a verb which forms the past with **être**
   agrees with the **subject**.

   > **Ils** sont partis pour New York.

   > They left for New York.

   > **Elle** s'est amusée.

   > She had a good time.

2. The past participle of a verb which forms the past with **avoir**
   agrees with the **direct object** ONLY if the direct object *precedes*
   the verb.

   > J'ai mangé les bonbons. (No agreement)
   > I ate the candies.

   > Les bonbons? Je **les** ai mangés. (Agreement)

   > The candies? I ate them.

ON ÉCRIT

1. Quelle est la forme correcte du participe passé? Indiquez l'accord (s'il y en a)!

arrivé: Marie est ＿＿ à 5h.

Marie est arrivée à 5h.

1. parti:
   Quand est-ce que tu es ＿＿, Marie?
2. acheté:
   Je n'aime pas la chemise que tu as ＿＿.
3. mangé:
   Les bonbons? Je les ai ＿＿.
4. endormi:
   Les enfants se sont ＿＿.
5. vendu:
   Quelle voiture as-tu ＿＿?
6. tombé:
   Ils sont ＿＿ dans le lac.
7. amusé:
   Mon ami et moi, nous nous sommes bien ＿＿.
8. perdu:
   Elle a ＿＿ sa clef.

2. Écrivez au passé. Attention à l'accord!

1. La voiture? Je la vends.
2. Ils ferment la porte.
3. Ils viennent à 6h.
4. Elle s'arrête au garage.
5. La nuit tombe.
6. La salade? Je ne la fais pas.
7. Marie? Je ne lui parle jamais!
8. Qu'est-ce qui se passe?
9. Mon père et moi, nous retournons à l'hôtel.
10. Quand est-ce que tu te lèves, Janine?

2 La Position des Expressions Négatives

LE POURQUOI

The negatives **pas** (not), **plus** (not any more), **jamais** (never) and **rien** (nothing, not anything) are found **before** a past participle or an infinitive.

Il n'a **jamais compris**.	He never understood.
Il ne va **rien comprendre**.	He's not going to understand anything.

The negative **personne** (no one, not anyone) is found **after** a past participle or an infinitive.

Il n'a **compris personne**.	He didn't understand anyone.
Il ne va **comprendre personne**.	He's not going to understand anyone.

ON ÉCRIT

1. Mettez au négatif selon les indications.

Il a attendu **quelqu'un**. (personne)
Il n'a attendu personne.

1. Nous avons oublié. (pas)
2. Nous avons oublié quelqu'un. (personne)
3. Il va chercher quelque chose. (rien)
4. Il va chercher quelqu'un. (personne)
5. Elle a compris. (jamais)
6. Elle a compris quelqu'un. (personne)
7. Je veux attendre. (plus)
8. Je veux attendre quelqu'un. (personne)

2. Qu'est-ce qu'on dit en français?

1. I don't wait.
2. I never wait.
3. I can't wait any more.
4. I didn't wait for anyone.
5. I'm not going to wait for anything.
6. She never understands.
7. She's not going to understand anyone.
8. She didn't understand anything.
9. She can't understand any more.
10. She hasn't understood.

16

1. Quels mots?

1. Mon professeur est né ____ Marseille ____ France.
2. Quel est le nom du garçon ____ joue là-bas?
3. Les concerts ____ on donne le dimanche sont toujours excellents.
4. Mon oncle est anglais. Il vient ____ Manchester.
5. ____ Danemark est un petit pays ____ Europe.
6. ____ douze mois dans une année.
7. Il ne fait pas souvent froid ____ Mexique.
8. Où est mon chapeau? Ah, le ____!
9. L'homme ____ vous a téléphoné hier soir est à la porte.
10. Le président ____ États-Unis habite dans la Maison Blanche.

UN PEU DE TOUT

2. Mettez au singulier.

1. Ces nouveaux hôtels sont très élégants.
2. Ses robes doivent être plus longues.
3. Mes frères ont vendu leurs billets aux jeunes filles là-bas.
4. Est-ce que vos amis sont rentrés chez eux?
5. Ces élèves français veulent passer l'été dans des familles canadiennes.

3. Faites des phrases. Attention au temps des verbes!

1. Renée / travailler / restaurant / été passé. / frère / y travailler depuis une semaine.
2. Je / aimer / photo / Papa / prendre / semaine passée / sommet / mont Royal.
3. Qui / aller / plage / toi / hier après-midi?
4. Attendre / monsieur! / autobus / arriver / minute.
5. Est-ce que / elle / perdre / facture? – Non, / laisser / table / cuisine.

4. Quelle forme du verbe? Attention! Infinitif, présent, futur, passé ou impératif?

1. dire:
   Vous avez raison quand vous ____ ça.
2. sortir:
   J'étudie en ce moment, mais plus tard je ____ .
3. venir:
   Pourquoi est-ce que Claudine ____ à pied hier matin?
4. se coucher:
   Nous devons ____ à minuit.
5. voir:
   Ils ont tort mais ils ne ____ pas pourquoi.
6. apprendre:
   Eh bien, vous deux, ____ tout ça pour demain!
7. se demander:
   Je ____ pourquoi il n'est pas ici.
8. mettre:
   Je suis sûr qu'elle ____ ses clefs ici hier soir.
9. oublier:
   N' ____ pas ton manteau!
10. faire:
    Où est la blouse que tu ____ l'année dernière?

17

VERS LE FRANÇAIS ACTIF

Qui est là?

1. Posez des questions sur "Qui est là?", p. 5.

2. "Tout doucement j'ouvre la porte et . . . ."
   Qu'est-ce que vous voyez dans la cuisine?

3. Imaginez que vous êtes Andrée, la jeune fille de l'histoire. Quand vous ouvrez la porte, c'est vos parents que vous trouvez dans la cuisine. Ils ne sont pas allés à New York. Imaginez la conversation!

Andrée:	Tiens! . . . vous . . . ici?!?
Père:	. . . longue histoire . . . fatigué.
Andrée:	Qu'est-ce qui . . . se passer?
Père:	. . . voler . . . valises.
Mère:	. . . nouvelles robes . . . !
Père:	. . . arriver . . . aéroport.
Mère:	. . . donner . . . valises . . . porteur.
Père:	. . . nous . . . ne jamais revoir!
Andrée:	. . . téléphoner . . . la police?
Mère:	. . . inspecteur . . . venir.
Père:	. . . une bande . . . voleurs (thieves) . . . aéroport.
Andrée:	Mais vous . . . avoir toujours . . . argent!
Mère:	Malheureusement . . . mettre . . . argent . . . valises!

DE NOS JOURS

Georges Simenon

Simenon est un auteur très célèbre de romans policiers. Très jeune, il a commencé à écrire pour un journal à Liège, en Belgique, où il est né. Depuis 1929 il a écrit plus de deux cents romans. On a traduit ses livres en quarante-sept langues, et on a fait plus de cinquante films et plusieurs séries à la télévision basés sur ses romans.

auteur (m) author
célèbre famous
roman (m) novel

traduit translated

plusieurs several

C'est lui qui a créé le personnage de Maigret, commissaire de la police parisienne. Maigret ne parle pas beaucoup. Il regarde, il écoute. C'est le caractère des gens et leur vie qu'il essaye de comprendre.

créer to create
personnage (m) character
commissaire (m) superintendent

gens (m pl.) people
vie (f) life
essayer to try

Maigret, avec son chapeau, son imperméable, et sa pipe est aussi bien connu dans le monde que le célèbre détective anglais, Sherlock Holmes.

imperméable (m) raincoat
aussi bien connu as well known
monde (m) world

GEORGES SIMENON

Lisez-vous?

1. Quels auteurs de romans policiers aimez-vous?

2. Quels personnages ont-ils créés? Décrivez-les! (apparence, méthodes, etc.)

3. Quels programmes policiers à la télévision aimez-vous? Pourquoi?

4. Qu'est-ce que vous lisez d'habitude? Pourquoi?

histoire (f) story	**journal** (m) newspaper
___ d'amour love	**nouvelles** (f pl.) news
___ d'aventure	sports (m pl.)
___ d'espionnage	bandes dessinées (f pl.) comics

5. Si vous n'aimez pas lire, qu'est-ce que vous aimez faire le soir?
   (voir p. 26)

Êtes-vous détective?

— Le voleur est entré par là! déclare M. Lupin. L'inspecteur regarde par la fenêtre cassée: les morceaux de verre sur la terre, la pluie qui tombe depuis hier soir.

cassé broken
morceau (m) piece
verre (m) glass
terre (f) earth
pluie (f) rain

— Je me suis couché à minuit. Ce matin, comme vous voyez ...

L'inspecteur regarde le salon: les meubles solides, le beau tapis blanc — et le coffre-fort vide.

meuble (m) furniture
tapis (m) carpet
coffre-fort (m) safe
vide empty
mentez lie

— Monsieur Lupin, vous mentez! ...

* * * * * *

Comment est-ce que l'inspecteur sait que M. Lupin ne dit pas la vérité?

vérité (f) truth

EN D'AUTRES MOTS
LES PASSE-TEMPS

Comment est-ce que vous passez votre temps libre? Voici quelques passe-temps populaires.

1. LES SPORTS:

jouer: au baseball, au football, au tennis, au hockey, au golf

* * * * * *

nager, skier, faire du ski nautique, etc.

2. LES AMUSEMENTS:

la télé, la radio, le film (au cinéma), le spectacle (au théâtre), etc.

3. LES JEUX:

jouer: aux cartes, aux échecs, aux dames, etc.

4. COLLECTIONNER:

des timbres, des disques, des cartes, des posters, des pièces, des modèles, etc.

5. LEÇONS:

de musique, de danse, de karaté, de dessin, etc.

Dictionnaire

dames (f pl.)	checkers	pièce (f)	coin
échecs (m pl.)	chess	ski nautique (m)	water-skiing
libre	free	spectacle (m)	show
passe-temps (m)	pastime	**timbre** (m)	stamp

Décrivez vos passe-temps préférés.
Pensez aux questions:

Depuis quand?
Quand?
Combien de temps?
Avec qui?
Où?
Pourquoi?
etc.

2. Quels Mots Manquent (are missing)?

1. vingt, trente, _____ , cinquante, _____
2. mai, _____ , _____ , août
3. mardi, _____ , _____ , vendredi
4. partir, voyager, _____
5. _____ , aujourd'hui, demain
6. le printemps, l'été, _____
7. le jour, _____ , le mois, l'an
8. le déjeuner, le dîner, _____
9. l'épaule, le bras, _____
10. ce matin, _____ , ce soir

3. Faites un petit dialogue de deux lignes pour chaque expression.

> avoir tort
>
> Jean: Le train arrive à 8h.
> Guy: Non, tu as tort. Il arrive à 9h.

1. mon vieux
2. alors
3. mais
4. pour moi
5. depuis
6. comme toujours
7. tout le monde
8. avoir mal à la jambe
9. malheureusement
10. le samedi

NOMS EN -TION

Beaucoup de noms anglais qui se terminent (end) en -tion ont la même forme en français.

l'imagination
la nation   **la suggestion**
la situation   **la direction**
la composition   **l'action**

Les noms qui se terminent en -tion sont FÉMININS.

PROJET

1. Lisez ces noms en -tion. Comparez la prononciation française avec la prononciation anglaise.

2. Cherchez d'autres exemples de mots français en -tion qui ont la même forme que les mots anglais.

4. Qu'est-ce que c'est?

Voilà les indices (clues)!

1. Une table à tiroirs où on étudie.
2. Le bâtiment où arrivent et partent les trains.
3. La partie du corps entre les yeux et la bouche.
4. Une machine qui voyage en l'air.
5. Un adjectif qui veut dire "agréable à voir".
6. Le premier repas de la journée.

Maintenant c'est à VOUS de donner des indices!

1. un cheval
2. un oncle
3. un sac à main
4. les Alpes
5. une église
6. les sciences
7. la salle de bain
8. une chemise

5. Une Petite Conversation

In a store a salesman asks you what you want. You are looking for an interesting book for your grandfather. He asks you what kind and you tell him. He shows you two books. You ask him how much they are. He tells you. They are too expensive. He shows you another book and tells you how much it is. That's it! You like it very much and it isn't too expensive.

MOTS DE LA MÊME FAMILLE

Comme nous savons déjà beaucoup de mots français et anglais viennent d'un mot latin.

LATIN	ANGLAIS	FRANÇAIS
parentes	parents	parents
descendere	descend	descendre

PROJET

Donnez un mot français et un mot anglais qui viennent de ces mots latins.

historia	manus	portare
interesse	levare	creare

VIVE L'HUMOUR!

Venez vite! Un éléphant vient de voler (rob) mon magasin!

Inspecteur: Comment pouvez-vous continuer à dire que vous n'êtes pas le voleur quand trois personnes vous ont vu sortir par la fenêtre?

Voleur: Mais monsieur l'inspecteur, je peux vous trouver cent personnes qui ne m'ont pas vu!

Est-ce que l'éléphant est indien ou africain?

Un homme lit dans le journal: "A vendre. Chien policier."

Il va à l'adresse donnée et on lui montre un tout petit chien pékinois.

— Vous vous moquez (make fun) de moi? Ça, c'est un chien policier?

— Mais oui, monsieur. Il est déguisé (disguised). Il est membre de la police secrète.

Quelle est la différence?

Eh bien, les éléphants africains ont de grandes oreilles. Les éléphants indiens ont de petites oreilles.

Mais je ne peux pas vous le dire. Cet éléphant a un bas de nylon (nylon stocking) sur la tête!

30

Vocabulaire Actif

MASCULIN

les gens	people
le journal	newspaper
pl. **les journaux**	
le monde	world
le morceau	bit, piece
pl. **les morceaux**	
le timbre	stamp
le verre	glass

FÉMININ

l'histoire	story; history
les nouvelles	news
la terre	earth
la vie	life

VERBES

casser	to break
essayer	to try
lire	to read
manquer	to miss, to be missing
voler	to steal, to rob; to fly

EXPRESSIONS

cassé	broken
célèbre	famous
de nouveau	again
seul	alone
seulement	only
sûr	sure, certain
vers	around
vide	empty
vraiment	really
vrai	true, real

Les Mots en Action

1. Quels mots manquent?

1. Après le souper il aime lire le ____ .
2. Le vase est tombé de la table. Oh-là-là! Il est ____ .
3. Les petits enfants aiment entendre une ____ .
4. Est-ce que tu veux un ____ de lait?
5. Il n'y a rien dans le sac. Il est ____ .
6. Il va faire beau aujourd'hui. –C'est ____? Formidable!
7. Je ne sais pas exactement quand je vais partir. ____ 6 heures, je pense.
8. Tout le monde est parti. Mon frère est tout ____ .
9. Quand je veux jouer au tennis, il pleut. Mais c'est la ____ !
10. Qui ____ aujourd'hui?–Jean-Paul est absent.
11. Pour le dessert j'aime manger un ____ de gâteau.
12. Il voyage à tous les pays. Il fait le tour du ____ .
13. Le détective a remarqué beaucoup de morceaux de verre sur la ____ .

2. Quelle autre expression?

1. des personnes
2. encore
3. certain
4. on le met sur une enveloppe
5. qui a une grande réputation
6. on les lit dans un journal ou les écoute à la radio
7. faire des efforts
8. voyager en l'air

3.

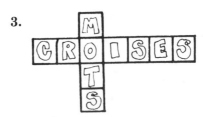

22
Le Hold-up

Il est trois heures. Un homme vient d'entrer dans la banque. Il s'approche d'une caissière qui finit son travail et lui donne un bout de papier. Elle lit:

s'approcher de
  to approach
caissière (f) cashier
finir to finish
bout (m) piece

(beux)

—C'est un hold-up! Ne faites rien de stupide!

La caissière, effrayée, le regarde, mais elle ne fait rien.

effrayé frightened

—Donnez-moi l'argent! Mettez-le dans le sac!

Toujours rien. Elle ne bouge pas. Soudain il a un revolver à la main!

bouger to move
soudain suddenly

—Dépêchez-vous! L'argent! Donnez-le-moi tout de suite ou je tire!

se dépêcher to hurry
tirer to shoot

La pauvre fille a tellement peur qu'elle tombe évanouie.

tellement so
tomber évanoui
  to faint

Et voilà le pauvre voleur, revolver à la main gauche, sac à la main droite, et personne derrière le guichet!

gauche left
droit right
derrière behind
guichet (m) wicket

*dictée

33

LE VERBE **FINIR** (TO FINISH)

LE PRÉSENT

je **finis***	nous **finissons**
tu **finis**	vous **finissez**
il **finit**	ils **finissent**
elle **finit**	elles **finissent**

*I finish, I am finishing, I do finish

LE PASSÉ COMPOSÉ

j'ai **fini***
tu n'as pas **fini**

*I finished, I did finish, I have finished

Note: The verb **choisir** (to choose)
follows the same pattern as the
verb **finir.**

LE PRÉSENT

je **choisis***
nous ne **choisissons** pas

*I choose, I am choosing,
I do choose

LE PASSÉ COMPOSÉ

j'ai **choisi***
nous n'avons pas **choisi**

*I chose, I did choose,
I have chosen

Quel verbe? **Finir** ou **choisir**?

1. Qu'est-ce que vous faites? – Nous
_____ nos devoirs.
2. Pourquoi est-ce que tu _____ cette
cravate horrible?
3. Voilà deux livres! _____ le livre que
vous voulez lire!
4. Les enfants doivent _____ leurs
devoirs ce soir.
5. Qu'est-ce que Paul fait
maintenant? – Il _____ son travail.
6. A quelle heure est-ce que vous _____
hier?
7. Cette fois c'est moi qui _____ le film
que nous allons voir.
8. Ils _____ le travail maintenant, puis
ils vont au match.

Le Passé Récent

ON DIT 1

1. present tense of **venir**

Answer in the affirmative.

> Elle **vient**. Et lui?
> Il **vient** aussi.

Elle vient. Et lui? ... Nous venons.
Et vous? ... Je viens. Et toi?
... Elles viennent. Et eux?

2. immediate future ⟶ recent past

Put into the recent past.

> Je **vais** parler.
> Je **viens de** parler.

Je vais parler. ... Je vais essayer.
... Nous allons parler. ... Nous
allons essayer. ... Tu vas répondre.
... Tu vas descendre. ... Vous allez
répondre. ... Vous allez descendre.

3. **venir de** + direct object pronouns

Put into the recent past.

> Il **va le** dire.
> Il **vient de le** dire.

Il va le dire. ... Ils vont le dire.
... Il va le faire. ... Ils vont le faire.
... Il va le prendre. ... Ils vont le
prendre.

4. **venir de** + reflexive verb

Put into the recent past.

> Je **vais me** laver.
> Je **viens de me** laver.

Je vais me laver. ... Tu vas te laver.
... Il va se laver. ... Nous allons
nous laver. ... Vous allez vous laver.
... Elles vont se laver.

5. passé composé / venir de

Answer in the affirmative. Use **venir
de**.

> Il **est parti**?
> Oui, il **vient de** partir.

Il est parti? ... Il a mangé? ... Il est
sorti? ... Il a répondu? ... Il est
descendu? ... Il a essayé?

Nous venons de manquer le train.

LE POURQUOI 1

The Recent Past

The immediate future (**aller** + infinitive) indicates that an action is **going** to happen. The recent past (**venir de** + infinitive) indicates that an action **has JUST happened.**

>Il **vient** d'entrer.
>He **has JUST** come in.

The **passé composé** expresses a completed action in the past.

>J'ai mangé mon dîner.
>I ate my dinner.

However, if the action has **JUST** happened, then **venir de** + infinitive is found.

>Je viens de manger mon dîner.
>I have **JUST** eaten my dinner.

Notes:

1. There is elision between **de** and an infinitive beginning with a vowel sound.

>Elle vient **d'**arriver.
>She has just arrived.

2. The preposition **de** does **not** contract with the direct object pronouns **le, les**.

>Nous venons **de le** trouver.
>We have just found it.

ON ÉCRIT 1

1. Changez les phrases au passé récent.

Nous allons partir.
Nous venons de partir.

1. Mes amis vont sortir de nouveau.
2. L'autobus va partir.
3. Nous allons manquer le train.
4. Je vais lire ce roman-là.
5. Est-ce que vous allez manger?

2. Répondez au passé récent. Employez des pronoms.

Est-ce que tu as mangé les fraises?
Oui, je viens de les manger.

1. Est-ce que tu as compris la question?
2. Est-ce qu'ils ont mangé les sandwichs?
3. Avez-vous lu le journal, vous deux?
4. Est-ce que Paul a trouvé sa clef?
5. Est-ce qu'elle a vendu sa maison?
6. Est-ce qu'ils ont vu ce spectacle?
7. Est-ce que ton père a pris l'autobus?
8. Avez-vous écouté les nouvelles, M. Robillard?

3. Répondez au passé récent.

Est-ce que tu te rases?
Non, je viens de me raser.

1. Marie et Paul, est-ce que vous vous levez?
2. Est-ce que Marie se maquille?
3. Est-ce que les enfants se couchent?
4. Est-ce que vous vous lavez, vous deux?
5. Est-ce que tu te maquilles?
6. Est-ce que Luc se lève?

4. Changez les phrases du passé composé au passé récent.

J'ai pris une calèche.
Je viens de prendre une calèche.

1. Ils ont cassé le verre.
2. Nous avons vendu notre maison.
3. Ils sont allés voir cet acteur célèbre.
4. Ma cousine a fait le tour de Halifax.
5. Est-ce que tu as pris sa photo?
6. Mes parents sont partis.
7. Elle a mis une nouvelle robe.
8. Est-ce que vous avez répondu à la lettre?
9. Nous sommes rentrés chez nous.
10. J'ai vu la Terre des Hommes.

5. Qu'est-ce qu'on dit en français?

1. Paul has bought a camera.
2. Paul has just bought a camera.
3. Paul is going to buy a camera.
4. Paul is buying a camera.

5. I just got up.
6. I'm going to get up.
7. I got up.
8. I'm getting up.

9. They are saying goodbye.
10. They have just said goodbye.
11. They have said goodbye.
12. They are going to say goodbye.

Nous allons manger. | Nous venons de manger.

Impératif + Pronoms

ON DIT 2

1. affirmative + one pronoun

Replace all nouns by pronouns.

> Prends **ton livre**.
> Prends-**le**.

Prends ton livre. ... Laisse ton livre.
... Laisse ta valise. ... Prends ta
valise. ... Prends tes souliers.
... Laisse tes souliers.

2. affirmative + two pronouns

Replace all nouns by pronouns.

> Donne-moi **ton verre**.
> Donne-**le**-moi.

Donne-moi ton verre. ... Donne-lui
ton verre. ... Donne-nous ton verre.
... Passe-leur la crème. ... Passe-
nous la crème. ... Passe-lui la crème.
... Passe-moi la crème.

3. affirmative —▶ negative

Put into the negative.

> Vendons-le.
> **Ne le** vendons **pas**.
>
> Vendons-le-leur.
> **Ne le leur** vendons **pas**.

Vendons-le. ... Vendons-le-leur.
... Rendons-la. ... Rendons-la-lui.
... Achetons-les. ... Achetons-les-leur.

4. affirmative —▶ negative

Put into the negative.

> Donnez-le-moi.
> Ne **me le** donnez pas.

Donnez-le-moi. ... Donnez-le-nous.
... Donnez-les-moi. ... Donnez-les-nous.
... Donnez-la-moi. ... Donnez-la-nous.

5. negative —▶ affirmative

Put into the affirmative.

> Ne **me le** dites pas.
> Dites-**le-moi**.

Ne me le dites pas. ... Ne le lui dites
pas. ... Ne le leur dites pas. ... Ne
nous le dites pas. ... Ne nous les
donnez pas. ... Ne les leur donnez
pas. ... Ne les lui donnez pas. ... Ne
me les donnez pas.

ON LIT 2

intonation

Lisez à haute voix.

Question →	**Ordre** →
1. Vous la lui vendez?	Vendez-la-lui.
2. Vous les leur donnez?	Donnez-les-leur.
3. Vous me les achetez?	Achetez-les-moi.
4. Tu nous le rends?	Rends-le-nous.
5. Tu la lui achètes?	Achète-la-lui.
6. Tu me le passes?	Passe-le-moi.

Rends-le-moi!

LE POURQUOI 2

Imperative + Pronouns

With **affirmative** commands pronoun objects **follow** the verb.

> Donnez-**lui** l'appareil
> Give him the camera.

Hyphens connect the pronoun objects and the verb.

> Donnez-le-lui.
> Give it to him.

The emphatic form **moi** (not the form **me**) is found after affirmative commands.

> Donnez-le-**moi**.
> Give it to me.

If there are two pronoun objects after a command the order is:

VERB	hyphen	DIRECT OBJECT	hyphen	INDIRECT OBJECT
Donnez	–	le	–	moi.

With **negative** commands pronoun objects follow the pattern you already know.

> Ne me le donnez pas.
> Don't give it to me.

ON ÉCRIT 2

1. Remplacez les mots indiqués par des pronoms.

Prenez **ce livre-là**!
Prenez-le!

1. Mets **ton sac** sur la table!
2. Donnez **les timbres** à Charles!
3. Laissez **la lettre** au bureau!
4. Prends **tes cahiers**!
5. Achetez **cette robe-là**!

2. Remplacez les mots indiqués par des pronoms.

Donnez-moi **le journal**!
Donnez-le-moi!

1. Donnez-lui **les photos**!
2. Vendez-moi **votre appareil**!
3. Achetez-leur **les billets**!
4. Dites-nous **la réponse**!
5. Passez-moi **la crème**!

3. Remplacez les mots indiqués par des pronoms.

Donne-le **à Charles**!
Donne-le-lui!

1. Vends-les **au patron**!
2. Donne-la **à Hélène**!
3. Dis-le **aux élèves**!
4. Rends-les **au professeur**!
5. Demande-le **à tes amis**!

4. Écrivez au négatif.

Vendez-le tout de suite!
Ne le vendez pas tout de suite!

1. Parlez-lui en français!
2. Prends-les maintenant!
3. Laissez-le sur la chaise!
4. Donne-leur ton adresse!

5. Achetez-le-lui!
6. Passe-la-leur!
7. Dites-le-lui!
8. Donnez-les-lui!

9. Rends-les-moi!
10. Donnez-le-nous!
11. Dites-le-moi!
12. Vendez-la-moi!

5. Dites à quelqu'un ...

... de vous les rendre.
Rendez-les-moi!

...de ne pas vous les rendre.
Ne me les rendez pas!

1. ...de vous la donner.
2. ...de ne pas vous la donner.

3. ...de le faire.
4. ...de ne pas le faire.

5. ...de vous les acheter.
6. ...de ne pas vous les acheter.

7. ...de la leur passer.
8. ...de ne pas la leur passer.

9. ...de vous le dire.
10. ...de ne pas vous le dire.

6. Qu'est-ce qu'on dit en français?

1. Give them to him.
2. Don't give them to him.

3. Tell it to us.
4. Don't tell it to us.

5. Sell them to me.
6. Don't sell them to me.

TOUT ENSEMBLE

L'Impératif des Verbes Réfléchis

ON DIT

1. Mettez à l'impératif.

> Tu te réveilles.
> Réveille-toi!

Tu te réveilles. ... Tu te lèves. ... Tu te dépêches. ... Tu t'amuses. ... Vous vous réveillez. ... Vous vous levez. ... Vous vous dépêchez. ... Vous vous amusez.

2. Mettez au négatif.

> Rase-toi!
> Ne te rase pas!

Rase-toi! ... Lève-toi! ... Dépêche-toi! ...
Rasez-vous! ... Levez-vous! ... Dépêchez-vous!

LE POURQUOI

In the imperative affirmative of reflexive verbs, the reflexive pronoun is found after the verb.

Dépêche-**toi!**
Hurry up!

Dépêchez-**vous!**   Dépêchons-**nous!**
Hurry up!   Let's hurry up!

In the negative form, the pronouns are before the verb.

Ne **te** lève pas!
Don't get up!

Ne **vous** levez pas!   Ne **nous** levons pas!
Don't get up!   Let's not get up!

ON ÉCRIT

Dites à votre frère de ...

... s'habiller dans la salle de bain.
Habille-toi dans la salle de bain!

1. ... se réveiller.
2. ... se coucher tout de suite.
3. ... se dépêcher.
4. ... ne pas se lever tôt.

Dites à vos amis de ...

1. ... s'amuser ce soir.
2. ... se dépêcher.
3. ... se lever quand le directeur entre.
4. ... ne pas s'arrêter à ce restaurant-là.

UN PEU DE TOUT

1. Quelles expressions peuvent compléter les phrases?

1. J'ai déjà trop à faire. Ne _____ le donnez pas.
2. Je ne sais pas qui c'est, mais il y a _____ à la porte.
3. _____ se passe là-bas?
4. _____ bâtiment est-ce?
5. Fermez la porte et les fenêtres. Il _____ trop froid.
6. Mes parents passent leurs vacances en Allemagne. Est-ce que vous _____ êtes déjà allé?
7. Nous ne pouvons pas aller au spectacle. Nous avons perdu _____ billets.
8. Je ne veux pas y aller tout seul. Qui peut venir avec _____ ?
9. Des soeurs? J' _____ ai seulement une.
10. Il pleut souvent _____ printemps _____ Europe.

2. Qui? ou Que?

1. C'est l'objet de la phrase _____ je ne peux jamais trouver.
2. C'est le sujet de la phrase _____ est facile pour moi.
3. Où sont les journaux _____ tu as cherchés pour Papa?
4. Voilà la clef _____ elle a perdue.
5. C'est de nouveau toi _____ as perdu!
6. Tu peux lire le roman _____ Paul m'a donné.
7. Voilà les gens _____ vous avez aidés.
8. Voilà les gens _____ vous ont aidé.

3. Complétez ces dialogues. Employez des pronoms.

1. – Donnez-la à Jeanne!
   – Non, je ne veux pas ...
2. – Achète-moi ce chandail, Maman!
   – Non, je ne peux pas ...
3. – Dites-le aux autres!
   – Non, je ne dois pas ...
4. – Rends-les-moi!
   – Non, je ne vais pas ...
5. – Donnez-nous l'argent!
   – Non, je ne dois pas ...

4. Répondez selon les indications. Remplacez les mots indiqués par des pronoms.

1. Quand est-ce que **tes enfants** se lèvent?
   (D'habitude ... vers 8h 30, mais hier ... 7h.)
2. Vous n'avez pas fini **les devoirs**?
   (Mais si, nous ...)
3. Tu patines souvent avec **Claude et Denis**?
   (Oui, et ... demain aussi.)
4. Combien **de timbres** pouvez-vous me donner?
   (Je ... 5.)
5. Qui habite **dans cet appartement?**
   (Personne ... depuis 2 mois.)
6. Ton amie Louise a lu **le livre**?
   (Oui, ... venir de ...)
7. Quand vas-tu téléphoner **à ces gens?**
   (Mais, ... hier soir!)
8. Pourquoi n'est-elle pas heureuse?
   (... mal ... la tête)
9. Où met-on **les factures**?
   (Papa ... ce tiroir d'habitude.)
10. Comment êtes-vous venus à l'école ce matin?
    (Jacques ... pied, Marie ... autobus, et moi ... voiture.)

VERS
LE
FRANÇAIS
ACTIF

Le Hold-up

1. Posez des questions sur "Le Hold-up", p. 33.

2. **APRÈS LE HOLD-UP: UN DIALOGUE**

Scène: Dans la banque

Personnages: La caissière
Un inspecteur de police.

L'Inspecteur: Eh bien, mademoiselle, donnez-nous tous les détails possibles. Cet homme que nous cherchons, quels vêtements est-ce qu'il porte?

La Caissière: Il porte une chemise bleue et ...

Continuez cette scène: les questions de l'inspecteur (l'âge de l'homme, sa taille (*height*), la couleur de ses yeux et de ses cheveux etc.), et les réponses de la caissière.

3. **A LA STATION DE POLICE**

Scène: On vient d'arrêter (to arrest) l'homme qui a volé la banque. Imaginez toutes sortes de réponses possibles à la question suivante:

L'Inspecteur: Pourquoi avez-vous volé la banque?

Le Voleur: . . . .

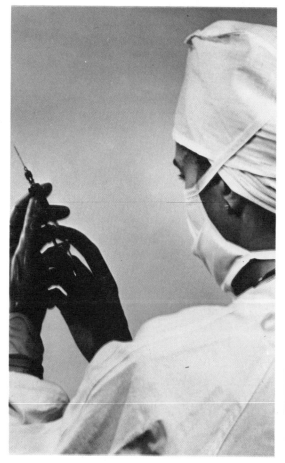

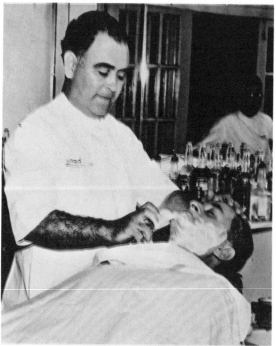

DE NOS JOURS

Que cherchez-vous dans la vie?

Pourquoi êtes-vous à l'école?

Parce que c'est confortable quand il fait
froid en hiver?

Parce que vous vous amusez bien avec
les copains?!?

copain (m) friend

Parce que vos parents insistent?

Ou peut-être que vous savez déjà la
carrière que vous voulez suivre.

carrière (f) career
suivre to follow

Avant de choisir une carrière les jeunes
gens doivent essayer d'analyser leurs
intérêts et leurs talents.

avant before
choisir to choose

Avant de faire leur choix, ils doivent
étudier aussi les demandes de plusieurs
professions et de plusieurs emplois.

choix (m) choice

emploi (m) job

De cette manière ils peuvent choisir la
carrière qui semble leur offrir la sorte
de vie qui les intéresse, la carrière
qu'ils peuvent suivre avec succès.

de cette manière in this way
sembler to seem
offrir to offer

Et vous, avez-vous déjà essayé
d'analyser vos talents? Est-ce que vous
vous préparez à un emploi que vous
pensez pouvoir suivre avec succès?

1. **Il est important de partir du bon pied!**

   1. Quelle carrière avez-vous choisie?
   2. Pourquoi avez-vous choisi cette carrière?
      – vos intérêts?
      – vos talents?

2. UNE INTERVIEW POUR UN EMPLOI D'ÉTÉ

Scène: Le bureau d'une compagnie à Montréal.
On cherche un(e) élève bilingue (qui parle
français et anglais) pour répondre au téléphone.

Personnages: Le directeur du personnel
Le candidat

Dialogue: Présentez cette scène.
Questions du directeur: nom, âge, adresse, école,
cours d'études, expériences, etc.

Questions de l'élève: heures de travail, salaire,
responsabilités, etc.

EN D'AUTRES MOTS

1. **L'Argent: Qu'est-ce qu'on fait avec ça?**

> On **gagne** (earn) de l'argent.
> On **prête** (lend) de l'argent.
> On emprunte (borrow) de l'argent.
> On dépense (spend) de l'argent.
> On **paye** (pay) de l'argent.
> On met de l'argent de côté. (save)

Langage Pittoresque:

Jeter son argent par la fenêtre.

L'argent dans votre vie

1. Comment gagnez-vous de l'argent? (Où? Combien d'heures? Combien d'argent? etc.)
2. Comment dépensez-vous votre argent?
3. Avez-vous jamais perdu de l'argent? Donnez des détails.
4. Si on veut emprunter de l'argent, que peut-on faire?
5. Quels sont les avantages d'une carte de crédit?

2. La Banque

Imaginez que vous avec un compte (account) en banque.

1. Dans quelle banque avez-vous un compte?
2. Où est cette banque?
3. Depuis quand avez-vous ce compte?
4. Combien de fois par mois allez-vous à la banque?
5. Quand est-ce que vous écrivez des chèques?
6. Où est-ce qu'on peut toucher (cash) un chèque?

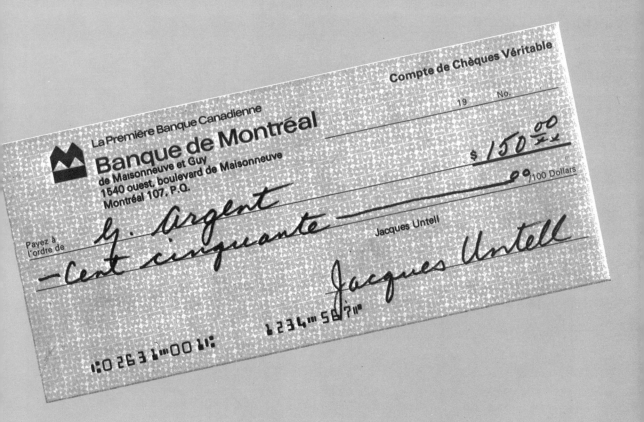

3. L'argent: un mot riche!

Employez les lettres du mot **argent** pour former huit autres mots.

4. Les Carrières

Trouver dans la colonne B un mot qui est associé avec un mot dans la colonne A.

A	B
le théâtre	le dentiste
le magasin	le chauffeur
l'avion	l'avocat
les cheveux	l'annonceur
le voleur	la dactylographe
la dent	le docteur
la radio	l'hôtesse de l'air
l'école	le coiffeur
l'hôpital	l'acteur
le bureau	le vendeur
le taxi	le professeur

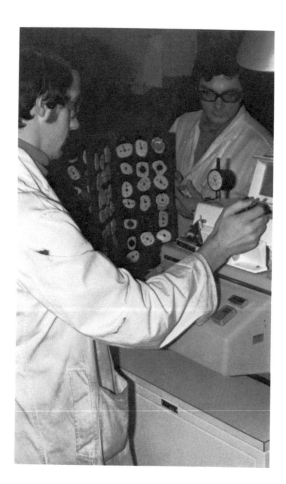

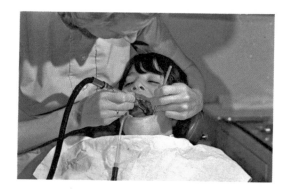

5. Qui fait l'action?

> voler: C'est un vol**eur** qui vole.

chanter	travailler	skier
jouer	danser	acheter
vendre	voyager	patiner

6. Jeu Questionnaire

Posez des questions sur:

1. vêtements
2. sports
3. pièces
4. temps (an, jour, heure, etc.)
5. nourriture
6. boissons
7. couleurs
8. corps
9. transport
10. bâtiments

VIVE L'HUMOUR!

—Jean, prête-moi dix dollars.
—Non.
—Pourquoi?
—Parce qu'il pleut à Madrid.
—Il pleut à Madrid! Quelle excuse stupide!
—Eh bien, si je ne veux pas te prêter de l'argent, la
raison ne fait pas grande différence.

Je ne veux pas l'épouser pour son argent, mais je ne
sais pas comment l'obtenir autrement!

Un jeune poète parle à une amie qui est caissière.
—La vie n'est pas juste.
—Pourquoi est-ce que tu dis ça?
—Eh bien, une caissière peut écrire un mauvais poème
et personne ne dit rien. Mais si un poète écrit un
mauvais chèque … !

Deux amis parlent de leurs femmes.
—Je ne sais pas si tu as le même problème avec ta
femme, mais, chez moi, ma femme demande toujours de l'argent,
de l'argent et encore de l'argent.
—Mais qu'est-ce qu'elle fait de tout cet argent?
—Je ne sais pas. Je ne lui en donne jamais.

Vocabulaire Actif

MASCULIN

l'avocat	lawyer
le dentiste	dentist
le docteur	doctor
l'emploi	job
le vendeur	salesman

FÉMININ

la vendeuse	saleslady

VERBES

choisir	to choose
se dépêcher	to hurry
finir	to finish
gagner	to earn; to win
payer	to pay
prêter	to lend
sembler	to seem

EXPRESSIONS

avant	before
derrière	behind
droit	right
à droite	on the right
gauche	left
à gauche	on the left
soudain	suddenly
tellement	so

Les Mots en Action

1. Quels mots manquent?

   1. Il est _____ malade qu'il doit aller à l'hôpital.
   2. Je n'ai pas assez d'argent. Est-ce que tu peux me _____ $2.00?
   3. Si nous ne nous _____ pas, nous allons être en retard.
   4. Il a un bon emploi. Il _____ $500.00 par semaine.
   5. La police a arrêté mon oncle. Maintenant il cherche un bon _____.
   6. Si Marie arrive après Louise, Louise arrive _____ Marie.
   7. Chantal et Georges travaillent chez Eaton. Elle est _____ et il est _____
   8. Je ne peux pas trouver Gilles.—Il est devant Paul et _____ Jean.
   9. Voilà la facture. Qui va _____?
   10. Est-ce que je tourne à droite ici?—Non, à _____.

2. Quelle autre expression?

   1. tout à coup
   2. on va chez lui quand on a mal à la dent
   3. il travaille dans un hôpital
   4. le travail

3.

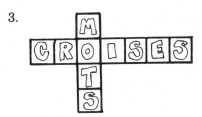

23 Un Voyage Historique

Le samedi 21 décembre 1968.

Il faisait beau ce matin d'hiver. Tout était prêt pour le voyage. Pour la première fois, l'homme allait quitter la terre pour aller près de la lune.

fois (f)   time
quitter   to leave
près de   near
lune (f)   moon

Les trois astronautes, Borman, Lovell et Anders, étaient à bord de la cabine spatiale. On a vérifié tous les systèmes, puis … 5 … 4 … 3 … 2 … 1 … 0 … Les voilà partis!

à bord de   on board
cabine spatiale (f)   space cabin
vérifier   to check

Le mardi 24 décembre.

Apollo 8 est entré en orbite autour de la lune. La lune n'était pas aussi impressionnante que la terre. Il n'y avait pas de couleur. Elle ressemblait à une vaste plage grise, marquée de cratères. C'était un paysage plus triste et plus stérile que les déserts de la terre.

autour de   around

impressionnant
   impressive
ressembler à
   to look like
marqué   marked
paysage (m)   scene
triste   sad

Le vendredi 27 décembre.

Après un voyage de plus de 960 000 kilomètres, Apollo 8 est descendu dans l'océan Pacifique. Mission accomplie!

Ce voyage historique a ouvert un nouveau monde à l'homme.

ouvert   opened
monde (m)   world

59

LE VERBE OUVRIR (TO OPEN)

LE PRÉSENT

j'ouvre*	nous ouvrons
tu ouvres	vous ouvrez
il ouvre	ils ouvrent
elle ouvre	elles ouvrent

*I open, I do open, I am opening

L'IMPÉRATIF

ouvre!	ouvrons!	ouvrez!
open!	let's open!	open!

LE PASSÉ COMPOSÉ

j'ai ouvert*
tu n'as pas ouvert

*I opened, I did open, I have opened

ON OUVRE:

UNE PORTE

UNE FENÊTRE

UNE LETTRE

MONSIEUR C. JORDAN
711 18TH ST.
TORONTO, ONTARIO
M5R 2M.

UNE BOÎTE

LA BOUCHE

Quel verbe? Ouvrir ou venir?

1. Quand je me couche j'_____ la fenêtre.
2. Elle _____ me voir tous les samedis.
3. Paul! Jean! _____ ici et _____ vos cadeaux!
4. L'année dernière on _____ la nouvelle école.
5. Pourquoi est-ce que tu _____ la lettre?
   – Parce que Papa m'a dit de l' _____.
6. Ils _____ leur restaurant chaque jour à 11 heures.
7. Il _____ chez moi hier soir.
8. _____ ton livre, s'il te plaît!

L'Imparfait

ON DIT 1

3. être

Put into the imperfect tense.

> Je suis en retard.
> J'**étais** en retard.

Je suis en retard. ... Nous sommes
en retard. ... Tu es en retard. ...
Vous êtes en retard. ... Il est en retard.
... Ils sont en retard.

1. basic formation

Put into the imperfect tense. Use **je**.

> avoir, nous avons
> **j'avais**

avoir, nous avons ... faire, nous
faisons ... prendre, nous
prenons ... aller, nous allons ...
lire, nous lisons ... finir, nous
finissons ... vouloir, nous
voulons ... dire, nous disons

2. formation, all endings

Answer in the affirmative.

> Nous lisions. Et vous?
> **Nous lisions** aussi.

Nous lisions. Et vous? ... Je lisais. Et
toi? ... Elle lisait. Et lui? ... Nous
dansions. Et vous? ... Je dansais. Et
toi? ... Elles dansaient. Et eux?

4. present ⟶ imperfect

Put into the imperfect tense.

> nous avons
> nous **avions**
>
> j'ai
> j'**avais**

nous avons ... j'ai ...
nous finissons ... tu finis ...
nous allons ... il va ...
nous lisons ... ils lisent ...
nous faisons ... vous faites ...
nous prenons ... je prends

5. iez / ions

Answer in the affirmative.

> **Vous aviez** soif?
> Oui, **nous avions** soif.

Vous aviez soif? ... Vous étiez
là? ... Vous vouliez ça? ... Vous
saviez la réponse? ... Vous pouviez
rester? ... Vous deviez partir?

ON LIT 1

Lisez à haute voix.

1. [ε]

1. lait, voulait
2. Il voulait du lait.
3. mais, étais
4. Mais j'étais là!
5. sais, savais
6. Je savais qu'il faisait frais.
7. était, étaient
8. Ils étaient anglais.
9. Elles parlaient français.
10. Ils n'avaient pas de lait frais.

2. [ɔ̃], [jɔ̃], [e], [je]

1. entendons, entendions
2. Nous voulions cette maison.
3. achetez, achetiez
4. Vous étiez là en été?
5. Vous faisiez attention.
6. Nous étions dans le quartier.

LE POURQUOI 1

The Imperfect Tense

The **passé composé** expresses a **completed action** in the past.

> Il **a mangé** un sandwich.
> He ate a sandwich.

The **imperfect** describes a **situation** in the past.

> Il **était** malade.
> He was sick.

Formation

The stem of the imperfect tense is the same as the **nous** form of the present tense, minus the ending **ons**.

Present	Stem	Imperfect
nous **av**ons	**av-**	j'**av**ais

The endings of **all** verbs in the imperfect are:

je	... **ais**	nous	... **ions**
tu	... **ais**	vous	... **iez**
il	... **ait**	ils	... **aient**

62

IMPERFECT TENSE OF **AVOIR**

j'avais*   nous avions
tu avais   vous aviez
il avait   ils avaient
elle avait   elles avaient
on avait   les élèves avaient

*I had, I used to have, I was having

The stem of the verb **être** is an exception.

j'**é**tais*   nous **é**tions
tu **é**tais   vous **é**tiez
il **é**tait   mes amis **é**taient
elle **é**tait   elles **é**taient

---

*I was, I used to be

Notes:

1. The letter **i** in the endings **ions** and **iez** is pronounced the same as the letter **y** in the word **voyons**.

2. All the other endings are pronounced alike. They may have the vowel sound of [ɛ] as in the word **cette** or the vowel sound of [e] as in the word **été**.

3. Certain verbs, because they describe a situation and not an action, are more often found in the imperfect than in the **passé composé**:

   être (to be), **avoir** (to have), **pouvoir** (to be able), **savoir** (to know), **vouloir** (to want), **aimer** (to like, to love).

ON ÉCRIT 1

1. Complétez à l'imparfait.

Nous avons: j'____
j'avais

1. Nous cassons: je ____
2. Nous allons: nous ____
3. Nous avons: il ____
4. Nous travaillons: vous ____
5. Nous finissons: tu ____
6. Nous faisons: ils ____
7. Nous lisons: qui ____
8. Nous étudions: elles ____
9. Nous choisissons: je ____
10. Nous attendons: on ____

2. Écrivez le verbe à l'imparfait.

donner: nous ____
nous donnions

1. aller: nous ____
2. faire: je ____
3. avoir: vous ____
4. manquer: il ____
5. descendre: on ____
6. venir: ils ____
7. vouloir: tu ____
8. pouvoir: qui ____
9. dire: elle ____
10. finir: elles ____

3. Écrivez à l'imparfait.

Je **suis** malade.
J'étais malade.

1. Elles sont vides.
2. Je suis fatigué.
3. Nous sommes heureux.
4. C'est très grand.
5. On n'est pas prêt.
6. Tu n'es pas content?
7. Vous n'êtes pas malin!
8. Ce n'est pas vrai.

4. Écrivez à l'imparfait.

1. Il sait patiner.
2. Nous sommes en Europe.
3. J'ai faim.
4. Elle ressemble à son frère.
5. Il fait du brouillard.
6. Il aime fumer.
7. Il n'y a pas de timbres.
8. Ils sont très célèbres.
9. Vous voulez rester?
10. Elles ne peuvent pas venir.

5. Écrivez à l'imparfait. Être, avoir ou **faire?**

1. Nous ____ seuls.
2. Je n'____ pas d'argent.
3. Pierre ne ____ pas attention.
4. Les enfants ____ quelques disques.
5. Il y ____ un verre sur la table.
6. Qui ____ là?
7. Il ____ du soleil.
8. Marie et Jeanne ____ jeunes.
9. Il ____ du vent.
10. C'____ une histoire formidable.

6. Mettez le paragraphe au passé. Écrivez les verbes au passé composé ou à l'imparfait selon le sens.

Je n'ai rien à faire. Il fait tellement chaud que je veux aller nager. Je téléphone à mon ami Pierre. Mais il est malade, et il ne peut pas venir.

Je sors, je prends l'autobus et je vais chez lui. Il est dans son lit.

Malade?!? – Oh non! Il est seulement paresseux (lazy)!

Le Comparatif

ON DIT 2

1. plus + adjective

Compare Paul and Michel.

> Paul est grand. Et Michel?
> Michel est **plus grand.**

Paul est grand. Et Michel? ... Paul est jeune. Et Michel? ... Paul est riche. Et Michel? ... Paul est beau. Et Michel? ... Paul est fatigué. Et Michel? ... Paul est bête. Et Michel?

2. aussi ... que

Compare Jacques and Pierre.

> Jacques est grand. Pierre aussi.
> Pierre est **aussi** grand **que** Jacques.

Jacques est grand. Pierre aussi.
... Jacques est riche. Pierre aussi.
... Jacques est fatigué. Pierre aussi.
... Jacques est intelligent. Pierre aussi.
... Jacques est jeune. Pierre aussi.

3. pas aussi ... que

Compare Marie and Suzanne.

> Marie est grande. Et Suzanne?
> Suzanne **n**'est **pas aussi** grande **que** Marie.

Marie est grande. Et Suzanne? ...
Marie est jeune. Et Suzanne? ...
Marie est riche. Et Suzanne? ...
Marie est belle. Et Suzanne? ...
Marie est intelligente. Et Suzanne?
... Marie est contente. Et Suzanne?

4. moins ... que = pas aussi ... que

Use **pas aussi** to express the same idea.

> Elle skie moins vite que toi.
> Elle **ne** skie **pas aussi** vite **que** toi.

Elle skie moins vite que toi. ...
Elle est moins intelligente que toi. ...
Elle patine moins vite que toi. ...
Elle est moins contente que toi. ...
Elle travaille moins vite que toi. ...
Elle est moins fatiguée que toi.

5. plus ... que

Disagree with the speaker.

> Il n'est pas aussi grand que moi.
> **Mais si**, il est **plus** grand **que** toi.

Il n'est pas aussi grand que moi. ...
Il n'est pas aussi riche que moi. ...
Il n'est pas aussi content que moi. ...
Il n'est pas aussi beau que moi. ...
Il n'est pas aussi jeune que moi. ...
Il n'est pas aussi fatigué que moi.

LE POURQUOI 2
The Comparative

When two things are compared, they are either the same, or they are different.

Aussi ... que (as ... as) is used to indicate that two things being compared are **the same.**

Robert est **aussi** jeune **que** Jacques.
Robert is **as** young **as** Jim.

Plus ... **que** (more ... than) or **pas aussi** ... **que** (not as ... as) are used if the things being compared are **different.**

Paul est **plus** intelligent que Robert.
Paul is **more** intelligent than Robert.

Robert est **plus** jeune que Paul.
Robert is young**er** than Paul.

Robert **n'**est **pas aussi** intelligent que Paul.
Robert is**n't as** intelligent as Paul.

Notes:

1. In the comparative **que** corresponds to the English **than** or **as**:

   plus long **que**
   longer **than**

   pas aussi long **que**
   not as long **as**

2. Emphatic pronouns are used after **que**.

   Vous patinez plus vite que **moi.**
   You skate faster than **I.**

3. **Moins** (less) may be used as an alternative for **ne ... pas aussi** (not as).

   Ce film **n'**est **pas aussi** intéressant. = Ce film est **moins** intéressant.
   This film is **not as** interesting. = This film is **less** interesting.

ON ÉCRIT 2

1. Changez les phrases selon le modèle.

Jean est grand, mais Pierre est plus grand.
Pierre est plus grand que Jean.

1. Marie est petite, mais Jeanne est plus petite.
2. Vos enfants sont intelligents, mais mes enfants sont plus intelligents.
3. Cette vue-ci est belle, mais la vue du Mont-Royal est plus belle.
4. Mon prof est distrait, mais ton prof est plus distrait.
5. La Seine est longue, mais le Saint-Laurent est plus long.
6. Un train va vite, mais un avion va plus vite.

2. Changez les phrases selon le modèle.

Jean est moins grand que Pierre.
Jean n'est pas aussi grand que Pierre.

1. Brigitte est moins jolie que Michèle.
2. Cet élève-ci est moins malin que cette élève-là.
3. Ces exercices sont moins difficiles que les autres exercices.
4. Québec est moins moderne que Montréal.
5. Ce programme est moins intéressant que le programme d'hier.
6. Marie parle moins vite que sa soeur.

3. Changez les phrases selon le modèle.

Je ne suis pas aussi fatigué que toi.
Tu es plus fatigué que moi.

1. Il n'est pas aussi riche qu'elle.
2. Tu n'es pas aussi occupé que moi.
3. Nous ne sommes pas aussi bêtes que vous.
4. Elles ne sont pas aussi malades qu'eux.
5. Vous n'êtes pas aussi sûrs que nous.
6. Ils ne sont pas aussi jeunes qu'elles.

Elle ressemblait à son frère.

4. Comparez: avec **plus**

une robe à une autre.

La robe verte est plus jolie que la robe jaune.

1. un film à un autre.
2. des livres à d'autres.
3. une matière à une autre.

Comparez: avec **aussi**

une maison à une autre.

Cette maison-ci est aussi chère que cette maison-là.

4. un restaurant à un autre.
5. une voiture à une autre.
6. des élèves à d'autres.

Comparez: avec **pas aussi**

une jeune fille à une autre.

Marie n'est pas aussi gentille que Marthe.

7. un hôtel à un autre.
8. des autos à d'autres.
9. une ville à une autre.

5. Qu'est-ce qu'on dit en français?

1. She's younger than you.
2. She's as young as you.
3. She's not as young as you.

4. She swims as fast as you.
5. She swims faster than you.
6. She doesn't swim as fast as you.

7. They aren't as difficult as the others.
8. They are more difficult than the others.
9. They're as difficult as the others.

TOUT ENSEMBLE

Meilleur et Mieux

ON DIT

1. **plus** + adjective / **meilleur**

   Put into the comparative form.

   > Il est grand.
   > Il est **plus grand.**
   >
   > Il est bon.
   > Il est **meilleur.**

   Il est grand. ... Il est bon. ... Ils sont petits. ... Ils sont
   bons. ... Elle est grande. ... Elle est bonne. ... Elles sont
   petites. ... Elles sont bonnes.

2. **plus** + adverb / **mieux**

   Answer in the comparative form.

   > Il skie vite?
   > Oui, il skie **plus vite** que moi.
   >
   > Il skie bien?
   > Oui, il skie **mieux que** moi.

   Il skie vite? ... Il skie bien? ... Il skie lentement? ... Il skie
   bien? ... Il patine vite? ... Il patine bien? ... Il patine
   souvent? ... Il patine bien?

ON LIT

[œ] / [ɸ]

Lisez à haute voix.

1. leur, meilleur
2. eux, mieux
3. leur, eux
4. meilleur, mieux

   *   *   *   *   *   *

5. Qui est le meilleur skieur?
6. Qui skie mieux que lui?

   *   *   *   *   *   *

7. Ses deux frères sont les meilleurs nageurs.
8. Eux, ils nagent mieux que moi.

   *   *   *   *   *   *

9. C'est la meilleure couleur.
10. Ça va un peu mieux.

LE POURQUOI

In the comparative, the adjective **bon** becomes **meilleur** (better) and the adverb **bien** becomes **mieux** (better).

> C'est une **bonne** auto, mais mon auto est **meilleure**.
> That's a **good** car, but my car is **better**.
>
> Anne chante **bien**, mais sa soeur chante **mieux**.
> Anne sings **well**, but her sister sings **better**.

ON ÉCRIT

1. Écrivez au comparatif les mots qui manquent.

C'est un **bon** journal, mais l'autre est
_____.

C'est un bon journal, mais l'autre est meilleur.

1. C'est un bon film, mais le film à l'Odéon est _____.
2. Il est grand, mais son frère est _____.
3. Tu joues bien, mais moi, je joue _____.
4. Ils sont bons, les romans de Doyle, mais les romans de Simenon sont _____.
5. Ces tomates ne sont pas bonnes. Les autres sont _____.
6. Marie est intelligente, mais Annette est _____.
7. Alain skie bien, mais Jean skie _____ que lui.
8. Thérèse parle tellement vite, mais Andrée parle _____ qu'elle.

2. **meilleur(e)(s)** ou **mieux**?

1. Ces histoires sont _____ que les autres.
2. Elle chante _____ que moi.
3. Ce dentiste est _____ que le dernier.
4. Les programmes d'aujourd'hui sont _____.
5. Mon frère nage _____ que moi.

3. Qu'est-ce qu'on dit en français?

1. Paul is a better skier.
2. He skis better than you.
3. My sister is a better student.
4. She studies better than you.

71

UN PEU DE TOUT

1. Répondez selon les indications.

1. Qui veut aller au match?
   (Robert et moi ...)
2. Comment vient-on à l'école?
   (... pied ou ... autobus)
3. Pourquoi avez-vous mis un chandail?
   (... froid)
4. Quand vont-ils finir?
   (Mais ... déjà)
5. Quelle était la mission des 3 astronautes?
   (... devoir aller près ... lune)

2. Quelle était la question?

1. J'attends l'autobus depuis **15 minutes déjà.**
2. On lui a donné **un verre de vin.**
3. Je me suis dépêché **parce que j'étais en retard.**
4. **Si,** on doit arriver avant 9 heures.
5. Non, je **n'**ai vu **personne.**

3. Faites des phrases. Attention au temps des verbes!

1. Hier je / rester / maison / parce que / être malade. Je / avoir mal / tête.
2. Un voleur / entrer / banque / 3 heures hier. Il / dire / caissière: / donner / argent! / mettre / sac!
3. Quand / astronautes / aller / lune / première fois, ils / trouver / elle / ne pas être / impressionnante / terre.
4. Nous / voyager / Hollywood / été passé et / voir / beaucoup / acteurs célèbres.
5. Hier soir / après / souper / frère / arriver / Madeleine. / surprise!

VERS LE FRANÇAIS ACTIF

Un Voyage Historique

1. Posez des questions sur "Un Voyage Historique", p. 59.

2. Vous êtes un astronaute qui vient de rentrer de la planète Mars.
Un reporter vous interviewe. Répondez à ses questions.

1. On dit que vous avez été le premier à voir un Martien.
   Comment est-ce qu'il était? (What was he like?)
2. Quelle était votre réaction quand vous avez vu ce Martien?
3. Comment avez-vous communiqué l'un avec l'autre?
4. Décrivez la planète Mars.
5. Qu'est-ce que vous avez rapporté (brought back) de Mars?

SUGGÉREZ D'AUTRES QUESTIONS!

DE NOS JOURS

Le Voyage

Les Canadiens sont les plus grands voyageurs du monde—mais il y en a beaucoup qui n'ont jamais quitté leur province!

Mais ça change. Les jeunes ont appris qu'il est possible de voyager avec très peu d'argent. Alors on les voit sur les routes au Canada, aux États-Unis ou en Europe, les sacs de couchage au dos. Ils vont à pied; ils font du pouce; ils voyagent en moto ou en bicyclette. Ils passent la nuit dans les auberges de la jeunesse ou ils font du camping.

route (f) highway, road
sac de couchage (m)
  sleeping bag
dos (m) back
faire du pouce
  hitch hike
auberge de la jeunesse (f)
  youth hostel

Pourquoi est-ce que ces jeunes gens quittent le confort de leur foyer?

confort (m) comfort
foyer (m) home

Eh bien, ils veulent voir le paysage, les villes, les monuments, les gens et leur manière de vivre: tout ce qui est différent. Ils visitent les musées et les cathédrales. Ils voient des carnavals, des rodéos, des événements sportifs. Ils vont aux festivals de théâtre et de musique. Chaque jour apporte quelque chose de nouveau, de passionnant.

manière de vivre (f)
  life style
musée (m) museum
événement (m) event

chaque each
apporter to bring
passionnant exciting

Pour eux, le voyage, c'est une école d'expérience où on apprend beaucoup.

Le Voyage

1. Quelles provinces avez-vous visitées?
   Comment? Quand? Avec qui?
   Pourquoi?

MASCULIN

l'Alberta
le Manitoba
le Nouveau-Brunswick
l'Ontario
le Québec

Territoires:
les Territoires du
  Nord-Ouest
le Yukon

FÉMININ

la **Colombie-Britannique**
l'Île du Prince-Édouard
la Nouvelle-Écosse
la Saskatchewan
Terre-Neuve

2. Qu'est-ce que vous y avez fait?

3. Quels sont vos projets (plans) de
   voyage pour l'avenir (future)?

"To, in" devant le nom d'une
province:

—si la province commence avec une
consonne: **dans, à**
  dans le Manitoba ou **au** Manitoba

—si la province commence avec une
voyelle: **en**
  en Alberta

EN D'AUTRES MOTS
POUR VOYAGER EN FRANÇAIS!

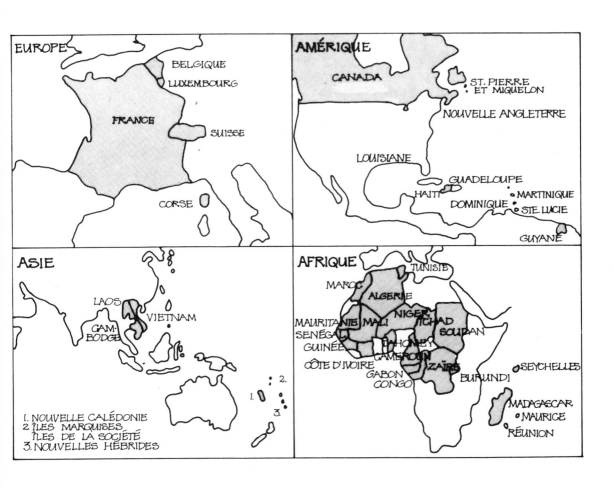

EUROPE

BELGIQUE
LUXEMBOURG
FRANCE
SUISSE
CORSE

AMÉRIQUE

CANADA
ST. PIERRE ET MIQUELON
NOUVELLE ANGLETERRE
LOUISIANE
GUADELOUPE
HAITI
MARTINIQUE
DOMINIQUE
STE. LUCIE
GUYANE

ASIE

LAOS
VIETNAM
CAM-BODGE
2.
1.
3.

1. NOUVELLE CALÉDONIE
2. ÎLES MARQUISES,
   ÎLES DE LA SOCIÉTÉ
3. NOUVELLES HÉBRIDES

AFRIQUE

TUNISIE
MAROC
ALGÉRIE
MAURITANIE NIGER TCHAD
MALI SOUDAN
SENÉGAL
GUINÉE
DAHOMEY
CÔTE D'IVOIRE
CAMEROUN
GABON ZAÏRE
CONGO BURUNDI
SEYCHELLES
MADAGASCAR
MAURICE
RÉUNION

Vous allez en voyage!

Choisissez un pays où on parle français. Puis imaginez-vous dans les situations suivantes.

Préparez des conversations pour chaque situation.

A l'agence de voyage:

le billet	ticket
un aller retour	a return ticket
un aller simple	a one-way ticket
le prix	price
le passeport	passport

Vous: Bonjour, monsieur. Je voudrais (would like) aller ...

L'Agent: Très bien. Quand voulez-vous partir?

Vous: ...
(Finissez le dialogue.)

La joie de vivre au Québec

CHÂTEAU FRONTENAC, QUÉBEC

A l'hôtel:

une chambre	a room
(pour ... personnes)	(for ... people)
une chambre avec bain	a room with bath
les bagages (m)	luggage
100 francs **par jour**	100 francs a day
l'ascenseur (m)	elevator
au ... étage	on the ... floor

Employé: Bonsoir. Vous désirez?
Vous: Je voudrais une chambre ...
              (Finissez le dialogue.)

Au Restaurant

à de   couvert pour deux

Vous: Une table pour deux, s'il vous plaît.
Garçon (Waiter): Par ici (this way), s'il vous plaît. ...
Voilà le menu:

chez maxim

MENU A 40 FRANCS

Potage du jour:

Soupe à l'oignon

Jus de fruit:
orange,
tomate
pamplemousse

* * * * *

Omelette au fromage
Escargots Bourguignonne

* * * * *

Poulet rôti
Côtelettes de Porc
Entrecôte

* * * * *

Pommes frites
Pommes en purée

* * * * *

Petits pois
Haricots verts
Carottes

* * * * *

Tarte aux pommes
Pâtisseries françaises
Glaces

Café   Thé

* * * * *

Vin blanc ou rouge

Service compris

MENU AT 40 FRANCS

Soup of the day:

Onion soup

Juice:
orange,
tomato
grapefruit

* * * * *

Cheese omelet
Bourguignonne snails

* * * * *

Roast Chicken
Pork chops
Sirloin steak

* * * * *

French fries
Mashed potatoes

* * * * *

Peas
Green beans
Carrots

* * * * *

Apple pie
French pastries
Ice cream

Coffee   Tea

* * * * *

White or red wine

Tip included

Vous: Je voudrais ...
Votre ami(e): Et moi, je voudrais ...

(Après le repas.)
Vous: Garçon! L'addition (bill), s'il vous plaît.

82

Si vous voyagez EN AUTO ...

Conversation à une station-service:

Garagiste:	Salut!
Vous:	Salut! Faites le plein, s'il vous plaît.
Garagiste:	Extra?
Vous:	Non, ordinaire.
Garagiste:	Voulez-vous que je vérifie l'huile?
Vous:	Oui, s'il vous plaît. Et la batterie, le radiateur et les pneus aussi.
Votre ami(e):	Où sont les toilettes?
Garagiste:	Dans le garage. A gauche.
Votre ami(e):	Merci.

*   *   *   *   *   *

Garagiste:	Tout va bien.
Vous:	C'est combien?
Garagiste:	$7.42.
Vous:	Voilà. Sommes-nous sur la bonne route pour Rimouski?
Garagiste:	Oui. Continuez tout droit.
Vous:	Merci. Bonjour.
Garagiste:	Bonjour.

> French Canadians use **Bonjour** for "hello" and "goodbye".

2. Dans quel pays ou continent
trouve-t-on:

1. le Mississippi
2. le Sahara
3. les Grands Lacs
4. les Alpes

    *   *   *   *   *   *

5. des boomerangs
6. des gondoles
7. des kimonos

    *   *   *   *   *   *

8. des castors
9. des kangourous
10. des hippopotames

4. Charade

> Mon premier est 5+5.
> Mon deuxième est une partie du visage.
> Mon tout est un repas.
>
> Réponse: dix + nez = dîner.

1. Mon premier est le contraire de "acheter".
   Mon deuxième est une partie de "_____ Donc".
   Mon tout est un jour.

2. Mon premier n'est pas court.
   Mon deuxième se divise en heures.
   Mon tout est un adverbe.

3. Mon premier coûte beaucoup.
   Mon deuxième est à la maison.
   Mon tout est le contraire de "trouver".

4. Mon premier est agréable à voir.
   Mon deuxième vient après "i".
   Mon troisième complète "plus grand _____ lui".
   Mon tout est près de la France.

5. Mon premier commence l'alphabet.
   Mon deuxième est un océan.
   Mon troisième vient après "h".
   Mon quatrième vient après "je sais...".
   Mon tout est un continent.

3. Faites un petit dialogue de deux
lignes pour chaque expression.

1. aussi
2. déjà
3. la voilà
4. chez elles
5. du lundi au mercredi
6. mais si
7. quelle chance!
8. là-bas
9. n'est-ce pas?
10. ça ne fait rien

5. Quel mot n'est pas membre de la famille? Pourquoi?

1. journal, magasin, livre, histoire, nouvelles
2. jeune, vieille, vieux, de nouveau, âge
3. devant, derrière, sous, sûr, dans
4. boutique, église, gare, usine, disque
5. enfin, tout à coup, long, en retard, probablement
6. temps, heures, semaine, mois, en
7. maison, port, fenêtre, salon, chambre
8. chiens, éléphants, cheveux, lions
9. arrive, descend, mont, reste, attend

6. Quels mots riment?

Trouvez dans la colonne B les mots qui riment avec chaque mot dans la colonne A.

A	B	
pris	pied	pleut
heureux	tellement	chaud
clef	photo	et
beau	bleu	vie
blanc	bruit	quartier
	nez	bientôt
	cheveux	avant
	magasin	Jean
	gens	peu
	chapeau	cassé
	tes	j'ai

Quand on voyage il faut (it's necessary) comprendre le système de 24 heures qu'on emploie pour indiquer l'heure de l'arrivée ou du départ des avions, trains, autobus, bateaux, etc.

Dans ce système:

minuit	=	00 00 ou 24 00
10.00 du matin	=	10 00
midi	=	12 00
3.00 de l'après-midi	=	15 00
7.00 du soir	=	19 00

PROJET:

Quelle heure est-il?

00 00
01 25
06 00
14 00
17 25
23 10

VIVE L'HUMOUR!

−Les Américains ont raison. Le voyage à la lune est vraiment historique. Mais nous, nous allons faire un voyage beaucoup plus historique.
−Comment ça?
−Nous allons voyager au soleil.
−Impossible! Le soleil est trop chaud!
−Pas de problème! Nous allons envoyer l'expédition la nuit!

* * * * * *

L'année passée j'ai fait le tour du monde. Cette année je veux aller ailleurs (someplace else).

* * * * * *

Quand on commence à ressembler à la photo de son passeport, on sait qu'on a vraiment besoin de vacances.

* * * * * *

Je n'ai jamais de problèmes quand je fais des arrangements pour mes vacances. Mon patron me dit quand et ma femme me dit où.

* * * * * *

Une femme en vacances envoie (sends) une carte postale à son psychiatre:
"Je m'amuse bien! Pourquoi?"

Est-ce qu'il y a de la vie sur Mars?

Ce n'est pas mal le samedi soir, mais les autres jours... MORT! MORT! MORT!

Vocabulaire Actif

MASCULIN

les bagages	luggage
le dos	back
le fromage	cheese
les petits pois	peas
le poulet	chicken
le prix	price

FÉMININ

la fois	time
la glace	ice cream; ice
les pommes frites	French fries
la route	highway, road
la tarte	pie

VERBES

apporter	to bring
ouvrir	to open
quitter	to leave
ressembler à	to look like

EXPRESSIONS

autour de	around
chaque	each, every
par jour	a day, per day
passionnant	exciting
près de	near
triste	sad

Les Mots en Action

1. Quels mots manquent?

1. Elle est très _____ parce qu'elle a perdu son chien.
2. Il aime manger un morceau de _____ avec la tarte aux pommes.
3. La semaine passée je suis allé au cinéma deux _____.
4. On mange trois fois _____.
5. Il n'est plus là. Il _____ le bureau à midi.
6. Moi, j'aime la _____ aux pommes.
7. Viens chez moi ce soir et _____ tes nouveaux disques.
8. Nous venons de voir un film _____.
9. Il a mangé du _____ rôti, des pommes _____ et des _____.
10. Comme dessert il a pris de la _____.
11. Saint-Pierre est une île _____ de Terre-Neuve.
12. Qui va porter mes _____ au train?
13. Quel est le _____ de cette cravate? – Sept dollars.
14. Il y a beaucoup de satellites en orbite _____ de la terre.
15. Quelle _____ est-ce qu'on prend pour aller à Sudbury?
16. Ce garçon-là _____ tellement à son père!
17. Il porte son sac de couchage au _____.
18. Il y va tous les jours? – Oui, _____ jour.

2.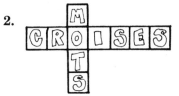

24
Sans Blague!

Blag

learn

Quand j'étais jeune, j'allais toujours passer mes vacances d'été au lac. Je nageais, je [I swam] faisais du ski nautique, mais surtout j'allais à la pêche. Je connaissais un bon endroit où vivaient les plus gros poissons du lac. [vivaie]

sans blague
  no kidding

ski nautique (m)
  water skiing
surtout   specially
pêche (f)   fishing
connaissais   knew
endroit (m)   place
vivaient   lived
gros   big
poisson (m)   fish
souffler   to blow
relancer   to start

Un jour quand j'étais sur le lac, le vent a commencé à souffler. J'avais peur parce que le lac était dangereux quand il faisait mauvais. Et je ne pouvais pas relancer le moteur!

Tout à coup j'ai vu sauter un poisson énorme qui avait pris mon leurre!

sauter   to jump
leurre (m)   bait

Et crois-moi ou non, ce poisson m'a tiré jusqu'à la rive où j'ai débarqué sain et sauf. Puis il a sauté encore une fois et a disparu!

crois   believe
tirer   to pull
jusqu'à   up to
rive (f)   shore
débarquer   to get off
sain et sauf
  safe and sound
disparu
  disappeared

LE VERBE CONNAÎTRE (TO KNOW)

LE PRÉSENT

je **connais** *	nous **connaissons**
tu **connais**	vous **connaissez**
Paul **connaît**	ils **connaissent**
qui **connaît**	Marie et Louise **connaissent**

* I know, I do know

L'IMPARFAIT

je **connaissais** *	nous **connaissions**
tu **connaissais**	vous **connaissiez**
il **connaissait**	elles **connaissaient**
Marie **connaissait**	Paul et Luc **connaissaient**

* I knew, I used to know

in past tends to imperfect

1. Quel verbe? **Connaître** ou **prendre?**

1. Est-ce que vous _____ les Leblanc? – Non, je ne les _____ pas.
2. J'_____ l'autobus hier.
3. Tout le monde _____ Montréal. C'est la plus grande ville du Canada.
4. Je _____ ce jeune homme quand j'étais à l'université.
5. Est-ce que tu vas _____ le train ou l'avion?
6. Nous _____ ce garçon-là. C'est le fils de M. Lebeau.
7. Est-ce que tu _____ bien ce quartier? – Oui, j'y habite depuis 20 ans.
8. Si tu as mal à la tête, _____ une aspirine.
9. Georges et Robert _____ cet homme. Il habite près d'eux.

TO KNOW

CONNAÎTRE	SAVOIR
	followed by an infinitive: **Je sais nager.** I know how to swim.
followed by a person: **Je connais Luc.** I know Luke.	followed by an interrogative word: Il **sait où** ils habitent. He knows where they live.
followed by a place: Il ne **connaît** pas cette **ville**. He doesn't know this city.	followed by **que** or **si**: Nous **savons qu'**il est malade. We know that he's sick. **Savez**-vous s'il est malade? Do you know if he's sick?

savoir OR **connaître**

Je sais (connais)　son âge
　　　　　　　　son adresse
　　　　　　　　son numéro de téléphone
　　　　　　　　son nom
　　　　　　　　la réponse

2. **Savoir** ou **connaître**? Mettez les verbes **au présent**.

1. Est-ce que vous _____ pourquoi il n'est pas ici?
2. Personne ne _____ ce petit garçon.
3. Ils ne _____ pas que tu es ici.
4. Je _____ parler italien.
5. Tout le monde _____ Paris.
6. _____ -vous comment il y va?
7. Vous _____ le vieux Montréal?
8. Nous _____ jouer au golf.
9. Je ne _____ pas les Dorion.
10. Est-ce que tu _____ son adresse?

L'Imparfait: Action Répétée

ON DIT 1

1. adverbs + imperfect

Answer in the affirmative.

> Tu **nageais** souvent?
> Oui, je **nageais** souvent.

Tu nageais souvent? ... Tu skiais beaucoup? ... Tu jouais tous les jours? ... Tu patinais d'habitude? ... Tu nageais toujours? ... Tu skiais le matin? ... Tu jouais le soir?

2. present ——► imperfect

Put into the past. Use the imperfect.

> Nous **sortons** d'habitude.
> Nous **sortions** d'habitude.

Nous sortons d'habitude. ... Elle danse le samedi. ... Ils voyagent beaucoup. ... Nous jouons tout le temps. ... Il fait chaud l'après-midi. ... Je me rase le matin.

3. **passé composé** / imperfect

Put into the imperfect and add the adverb suggested.

> Il **a patiné** une fois. (d'habitude)
> Il **patinait** d'habitude.

Il a patiné une fois. (d'habitude) ... Il est sorti une fois. (souvent) ... Il a dansé une fois. (tous les samedis) ... Nous avons dansé une fois. (beaucoup) ... Nous sommes sortis une fois. (toujours) ... Nous avons patiné une fois. (tout le temps)

4. present ——► **passé composé** / imperfect

Put into the past. Use the **passé composé** or the imperfect.

> Elle **fume** pour la première fois.
> Elle **a fumé** pour la première fois.
>
> Elle **fume** d'habitude.
> Elle **fumait** d'habitude.

Elle fume pour la première fois. ... Elle fume d'habitude. ... Elle répond d'habitude. ... Elle répond pour la première fois. ... Elle téléphone pour la première fois. ... Elle téléphone d'habitude. ... Elle oublie d'habitude.

ON LIT 1

intonation

Lisez à haute voix.

1. Quand j'étais jeune, je nageais souvent.
2. Quand il faisait mauvais, nous regardions la télé.
3. Quand nous étions en retard, nous prenions un taxi.
4. Quand elle habitait à Québec, elle patinait le samedi.
5. Quand tu étais jeune, tu jouais tout le temps.

Tu es sûr que tu sais jouer au golf?

LE POURQUOI 1

The Imperfect: Repeated Action

The **passé composé** expresses a **completed action** in the past.

> Ils **sont allés** au cinéma **samedi.**
> They **went** to the show **on Saturday.**

The **imperfect** expresses a **repeated action** in the past.

> Ils **allaient** au cinéma **tous les samedis.**
> They **went (used to go)** to the show **every Saturday.**

Notes:

1. Adverbs such as **souvent, quelquefois, toujours, d'habitude, le samedi** indicate that an action was repeated. These expressions are often found with the imperfect tense.

2. An idea expressed by "used to" in English, is expressed by the imperfect in French.

> I **used to see** my grandparents on Sundays.
> Je **voyais** mes grands-parents le dimanche.

USES OF THE IMPERFECT

1. The imperfect describes a situation in the past.

> Il **était** malade.
> He was sick.

2. The imperfect expresses a repeated action in the past.

> D'habitude ils **allaient** à la plage.
> Usually they went to the beach.

ON ÉCRIT 1

1. Écrivez à l'imparfait.

Je **vais** souvent chez mon ami.
J'allais souvent chez mon ami.

1. Elle vient à l'école tous les jours.
2. D'habitude je quitte la maison vers 8h.
3. Nous ne sortons pas souvent.
4. Ils dînent quelquefois à l'hôtel.
5. Qui est toujours occupé?
6. Est-ce que tu vas toujours chez eux?
7. Il fait souvent du brouillard?
8. Est-ce que vous vous réveillez tôt d'habitude?

2. Écrivez à l'imparfait.

Quand je **suis** malade, je **reste** à la maison.
Quand j'étais malade, je restais à la maison.

1. Quand elle est occupée, elle ne sort pas.
2. Je ne travaille jamais quand je suis fatiguée.
3. Quand il fait beau, nous allons dans le parc.
4. Est-ce que tu skies quand il y a de la neige?
5. Quand nous manquons l'autobus, nous prenons un taxi.

3. Imparfait ou passé composé?

1. acheter: Elle _____ toujours ses vêtements Chez Berthe.
2. sortir: Il a téléphoné et je _____ .
3. aller: Nous _____ à la plage ce matin.
4. se réveiller: Elle _____ le matin à 6 heures.
5. finir: Tu _____ le livre?
6. prendre: Vous avez mal à la tête? Est-ce que vous _____ des aspirines?

7. venir: Mes cousins _____ nous voir le dimanche.
8. passer: Tous les ans, nous _____ les vacances au lac.
9. commencer: Soudain, le vent _____ à souffler.
10. faire: En été, nous _____ du ski nautique tous les jours.

4. Écrivez la forme correcte du verbe. Attention! Imparfait, passé composé ou présent?

Quand je (être) jeune, je (habiter) dans le nord (*north*). Il y (avoir) un lac près de chez moi. J'y (aller) à la pêche. En hiver je (faire) un trou (*hole*) dans la glace pour pêcher.

Une fois, au mois de mars, je (aller) en moto-neige (*snowmobile*) à une petite île (*island*) où je (passer) la nuit. Mais le temps (changer) et quand je (se réveiller) je (voir) que la glace (être) trop dangereuse pour rentrer.

Je (rester) une semaine sur l'île. Je (avoir) seulement des poissons à manger. Puis quelqu'un (venir) me chercher.

Maintenant, quand je (voir) un poisson, je (être) malade!

5. Qu'est-ce qu'on dit en français? Attention! Imparfait ou passé composé?

1. He used to read the paper.
2. He has read the paper.
3. They went out last Friday.
4. They went out every Friday.
5. I took the bus every day.
6. I took the bus yesterday.
7. We used to go to the lake in the summer.
8. We went to the lake last night.
9. She got up late on Saturday.
10. She got up late on Saturdays.

Le Superlatif

ON DIT 2

1. adjectives

Change to the superlative.

> Paul est plus jeune.
> Paul est **le plus jeune**.

Paul est plus jeune. ... Marie est plus jeune. ... Ces élèves sont plus jeunes. ... Paul est plus fatigué. ... Marie est plus fatiguée. ... Ces élèves sont plus fatigués.

2. adjective + noun

Change to the superlative.

> C'est un petit garçon.
> C'est **le plus petit** garçon.

C'est un petit garçon. ... C'est une petite fille. ... C'est un long fleuve. ... C'est une longue rivière. ... C'est un grand magasin. ... C'est une grande liste.

3. noun + adjective

Change to the superlative.

> un garçon fatigué
> le garçon **le plus fatigué**

un garçon fatigué ... un garçon riche ... un garçon bête ... une fille fatiguée ... une fille riche ... une fille bête ... des gens fatigués ... des gens riches ... des gens bêtes

4. superlative + **de**

Repeat the following sentence. Then substitute the word suggested.

> C'est le plus petit de la famille.
> C'est le plus petit de la famille. (le monde)
> C'est le plus petit **du monde**.

C'est le plus petit de la famille. ... le monde ... la province ... la ville ... le groupe ... le pays

5. le meilleur / le mieux

Change to the superlative.

> Paul est un bon skieur.
> Paul est **le meilleur** skieur.
>
> Paul skie bien.
> Paul skie **le mieux**.

Paul est un bon skieur. ... Paul skie bien. ... Paul est un bon nageur. ... Paul nage bien. ... Paul travaille bien. ... Paul est un bon travailleur. ... Paul est un bon patineur. ... Paul patine bien.

LE POURQUOI 2

The Superlative

The comparative is used to compare something to **one** other thing.

> Jean est **plus grand** que Paul.
> John is **bigger** than Paul.

The **superlative** is used to compare something to **all** other things.

> Jean est **le plus grand.**
> John is **the biggest.**

FORMATION:

Add **le, la, les** to the comparative.

ADJECTIVE	COMPARATIVE	SUPERLATIVE
grand	plus grand	le plus grand the biggest
intelligente	plus intelligente	la plus intelligente the most intelligent
bonnes	meilleures	les meilleures the best

adverb
bien   mieux   le mieux

POSITION:

ADJECTIVE **BEFORE** NOUN*	ADJECTIVE **AFTER** NOUN
le plus grand garçon la plus grande fille	**le** garçon **le plus** intelligent **la** fille **la plus** intelligente

*The list of adjectives that precede nouns is on page 121.

99

Notes:

1. When the adjective follows the noun the article is repeated.

2. **De** is used after the superlative to express **"in"**.

   Montréal est la plus grande ville **du** Canada.
   Montreal is the biggest city **in** Canada.

3. The superlative of **bien** (well) is always **le mieux** (the best). It does not change its spelling.

   Marie joue **le** mieux.
   Mary plays (the) best.

4. Possessive adjectives can be used with the superlative.

   Mon meilleur ami.
   My best friend.

ON ÉCRIT 2

1. Écrivez au comparatif et au superlatif.

   Robert est grand. Pierre _____. Jean _____.

   Pierre est plus grand.

   Jean est le plus grand.

   1. Marie est jolie. Suzanne _____.
      Andrée _____.
   2. Pierre est intelligent. Gaston _____.
      Antoine _____.
   3. Les appareils américains sont chers.
      Les appareils japonais _____. Les
      appareils allemands _____.
   4. Les photos de Paul sont bonnes. Les
      photos d'Alain _____. Les photos de
      Colette _____.

2. Écrivez au superlatif.

   la grande ville
   la plus grande ville

   la ville intéressante
   la ville la plus intéressante

   1. le jeune prof
   2. le prof intelligent
   3. le bon prof

   4. la jolie boutique
   5. la boutique chère
   6. la bonne boutique

   7. les longs exercices
   8. les exercices difficiles
   9. les bons exercices

3. Répondez au superlatif selon les indications.

Marie est petite? (la famille)
Oui, la plus petite de la famille.

1. Jean est intelligent? (la classe)
2. Les poissons sont gros? (le lac)
3. L'église est belle? (la ville)
4. Le bâtiment est grand? (la province)
5. Les trains sont rapides? (l'Europe)
6. L'exercice est difficile? (le livre)
7. Le restaurant est bon? (le quartier)

4. Faites des phrases au superlatif.

Vancouver / joli / ville / monde.
Vancouver est la plus jolie ville du monde.

1. Jean / bon / nageur / famille.
2. Montréal / grand / ville / Canada.
3. L'église / bâtiment / intéressant / ville.
4. Hélène / bonne / élève / classe.
5. Le Rhône / long / fleuve / France.
6. Les Rolls-Royce / voiture / cher / monde.

C'est le meilleur nageur de la famille.

5. Écrivez les phrases au superlatif.

Paul est **un bon** skieur.
Paul est le meilleur skieur.

Il skie **bien**.
Il skie le mieux.

1. Marie est une bonne danseuse.
2. Elle danse bien.
3. Ces joueurs sont bons.
4. Ils jouent bien.
5. Ta soeur est une bonne chanteuse.
6. Elle chante bien.

6. Qu'est-ce qu'on dit en français?

1. A big house
2. A bigger house
3. The biggest house

4. A good programme
5. A better programme
6. The best programme

7. An interesting book
8. A more interesting book
9. The most interesting book

Paul patine le mieux.

J'espère qu'il nage bien aussi.

Le Plus-que-parfait

ON DIT

introduction: **passé composé ⟶ plus-que-parfait**

Put into the pluperfect.

> J'ai mangé.
> J'**avais** mangé.
>
> Je suis monté.
> J'**étais** monté.
>
> Je me suis couché.
> Je m'**étais** couché.

J'ai mangé. ... Je suis monté. ... Je me suis couché. ... Tu as
mangé. ... Tu es monté. ... Tu t'es couché. ... Il a mangé. ...
Il est monté. ... Il s'est couché. ... Nous avons mangé. ... Nous

LE POURQUOI

The pluperfect is a past tense. It indicates that an action **had** taken place before another action in the past.

> Le match **avait** déjà **commencé** quand je suis arrivé.
> The game **had** already **started** when I arrived.
>
> Il a dit qu'elle **avait fini.**
> He said that she **had finished.**

FORMATION:

The pluperfect is formed from TWO verb forms: the imperfect of **avoir** or **être** and a past participle.

> Il **avait commencé.**   It had started.
> Elle n'**était** pas **partie.**   She hadn't left.
> Ils s'**étaient arrêtés.**   They had stopped.

Notes:

1. The pluperfect corresponds to the English "had" and a past participle.

> Elle avait fini.
> She **had finished.**

2. The rules for the negatives, the agreement of the past participle and the position of pronoun objects in the **passé composé** apply to the pluperfect also.

> Elle **ne les** avait **jamais** vus.
> She'd never seen them.

ON ÉCRIT

Écrivez les verbes au plus-que-parfait.

Elles se sont arrêtées.
Elles s'étaient arrêtées.

1. Nous avons travaillé.
2. Les élèves ont répondu.
3. Je suis sorti.
4. Elle est montée.
5. Vous vous êtes lavés.
6. Ils se sont rasés.
7. Anne et Pierre sont arrivés.
8. J'ai attendu.
9. Tu t'es maquillée?
10. On a déjà mangé.

Mettez un verbe au passé composé et
l'autre verbe au plus-que-parfait, selon
le sens.

commencer, arriver:
Le match _____ déjà _____ quand
nous _____.
*Le match avait déjà commencé
quand nous sommes arrivés.*

1. finir, partir:
   Le programme n'_____ pas
   encore _____ quand je _____.
2. dire, attendre:
   Mon père _____ qu'il _____ dix
   minutes.
3. vendre, aller:
   Il _____ déjà _____ la voiture quand
   nous _____ l'acheter.
4. répondre, voler:
   L'inspecteur _____ qu'on _____
   l'argent la semaine passée.
5. arriver, rentrer:
   Marie n'_____ pas encore _____ quand
   nous _____.
6. dire, faire:
   Mes amis _____ qu'ils n'_____
   rien _____.

3. Qu'est-ce qu'on dit en français?

   1. I've finished the glass of milk.
   2. I'd finished the glass of milk.

   3. We hadn't returned the pictures.
   4. We haven't returned the pictures.

   5. They say that she has gone out.
   6. They said that she had gone out.

   7. He had lost his keys.
   8. He's lost his keys.

   9. They've found them.
   10. They had found them.

UN PEU DE TOUT

1. Quelles prépositions?

1. Je n'aime pas voyager _____ train.
2. Elle a passé ses vacances _____ sa tante.
3. _____ qui as-tu prêté ta bicyclette?
4. Ils étudient la géographie _____ un an.
5. Paul est derrière moi. Je suis _____ lui.
6. Voilà 5 dollars _____ toi.
7. Mets tes pieds _____ la table, pas _____ la table.
8. Il ne vient jamais _____ pied.
9. Tu lis les romans _____ Simenon?
10. Vendredi est le deuxième jour _____ mercredi.
11. Si tu sors ce soir, rentre _____ minuit. Pas plus tard!
12. La cabine spatiale est entrée en orbite _____ la lune.

2. Répondez aux questions. Employez des pronoms. Attention à l'accord!

1. Vous connaissez **ces gens-là**?
   – Oui, ...
2. **Paul** n'aimait pas **son dîner**?
   – Mais si, ...
3. Vous **m'**avez téléphoné? – Non, ...
4. **Tes parents** vont **nous** inviter?
   – Bien sûr, ...
5. **Sylvie** a demandé la permission **à ses parents**? – Oui, ...
6. **Les soeurs de Robert** veulent aller **à la plage**? – Non, ...
7. Tu as cassé **la fenêtre**? – Oui, malheureusement, ...
8. Tu dois rendre **cette lettre à ton avocat**? – Non, ...
9. Vous êtes sorti avec **les amis de Guy**? – Oui, ...
10. **Madeleine** a fait **cette tarte**?
    – Mais non, ...

3. en, un, une, du, de l', de la, des, de?

1. Ta soeur a _____ posters? – Oui, elle _____ a beaucoup.
2. Il y a _____ petits pois, mais il n'y a pas _____ pommes frites.
3. Maman a acheté _____ fromage, mais il n'y _____ a plus.
4. Je veux seulement _____ soupe, s'il vous plaît.
5. J'ai mangé _____ poulet et un morceau _____ pain.
6. Tu as _____ voiture? – Oui, j'_____ ai deux maintenant.
7. Papa va me prêter _____ argent.
8. Elle vient de prendre _____ photos avec _____ nouvel appareil japonais.
9. Nous _____ avons assez.
10. Je veux _____ bifteck avec _____ frites.
    – Et pour le dessert?
    – _____ glace, s'il vous plaît.

4. Répondez selon les indications.
Employez des pronoms là où c'est possible.

1. Tu as fait tous tes devoirs?
   – Oui, ... venir ... finir.
2. Tu veux que je te donne la liste?
   – Oui, donne- ... !
3. Qui est avec Jacques?
   – Personne ... avec ...
4. Combien de timbres est-ce que tu as achetés? – ... vingt.
5. Quand vas-tu payer la facture?
   – Mais je ... hier.
6. Combien de temps est-ce que vous et votre femme étiez à Québec?
   – ... passer trois semaines.
7. Tu veux lire ces deux romans?
   – Mais non, ... déjà.
8. Tu veux que je me dépêche?
   – Non, ne ... pas!
9. L'agent a trouvé quelque chose sur la route? – Non, ...
10. Pourquoi Hélène n'est-elle pas là?
    – ... sortir ... une amie.

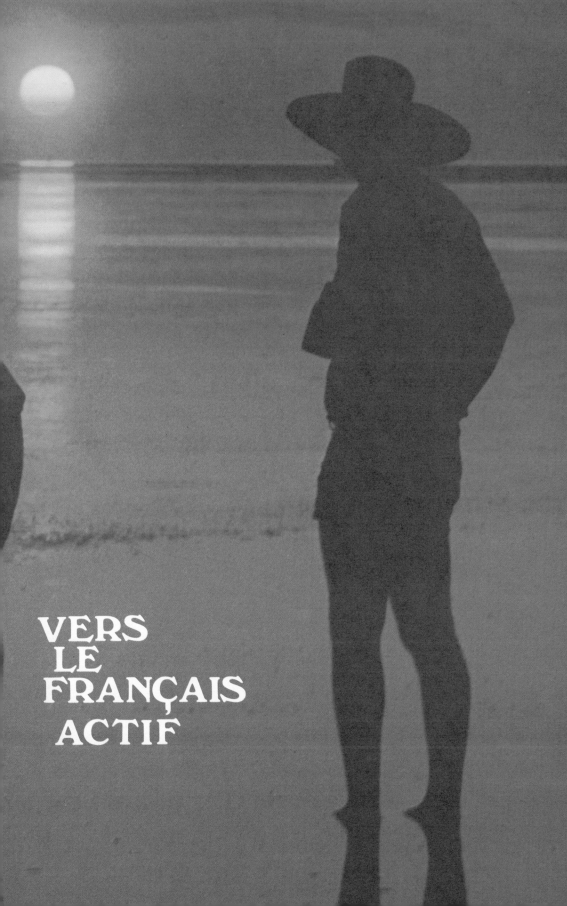

VERS
LE
FRANÇAIS
ACTIF

Sans Blague!

1. Posez des questions sur "Sans Blague!", p. 91.

2. Qu'est-ce que vous faisiez pendant (during) les vacances d'été quand vous étiez jeune?

VERBS LIKE NAGER

Why is there an **e** after the **g** in the word *nageais*?

In French **g** followed by **a** or **o** is pronounced hard:

    *g*are, *g*olf

Therefore, **je nagais** would be pronounced with a hard **g**. We know, however, that **nager** is pronounced with a soft **g** and this sound must be kept. To maintain this soft **g** sound, an **e** is inserted after the **g** whenever the ending begins with an **a** or an **o**.

For example:

PRESENT:

nous (**nag + e + ons**) **nageons**
nous (**mang + e + ons**) **mangeons**

IMPARFAIT

je (**nag + e + ais**) **nageais**
tu (**mang + e + ais**) **mangeais**
il (**neig + e + ait**) **neigeait**

3. Racontez cette histoire au passé.

Un jour je ... aller pêcher. ... lac où il y avoir ...
poisson ... énorme. Quand je ... arriver ... lac ...
trouver ... oublier (plus-que-parfait) ... vers (worms) ...
maison.

Que faire? (What was I to do?)

Soudain je ... voir un serpent ... avoir une grenouille (frog)
... bouche.

Je ... prendre ... grenouille et ... commencer à pêcher. Moi,
je ... être ... très content. Mais le pauvre serpent ... sembler
tellement triste. Il ... avoir vraiment faim et je ... voler
(plus-que-parfait) ... dîner.

Soudain ... avoir ... idée (idea)!

Je ... prendre ... bouteille (bottle) ... vin et je ... verser (to
pour) ... un peu ... vin ... bouche ... serpent.

Il ... sembler très content et il ... partir. Alors je ...
recommencer ... pêcher.

Peu après je ... regarder ... endroit où ... voir
(plus-que-parfait) serpent—et imaginez! Voilà ... même (same)
serpent mais ... fois ... me ... apporter trois grenouilles!!!

4. Racontez une histoire qui est difficile à croire (believe)!

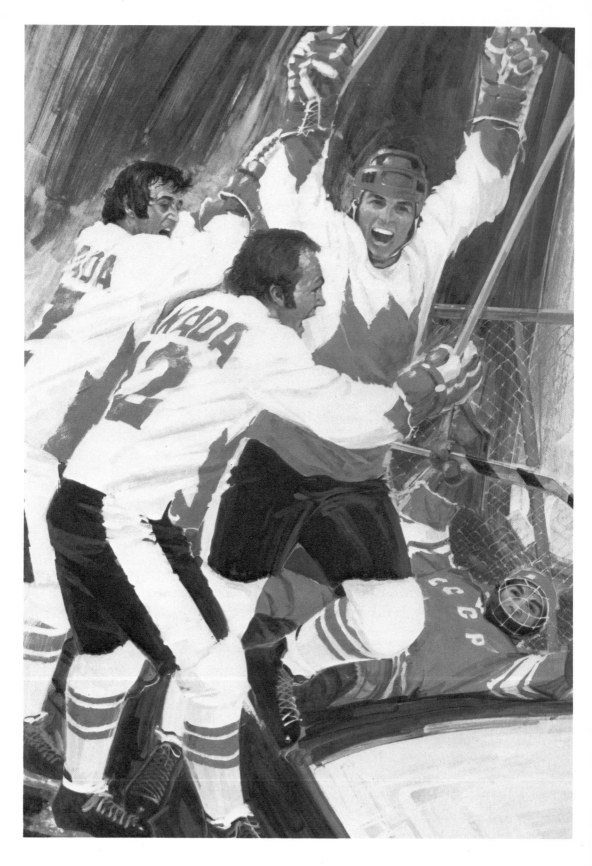

DE NOS JOURS

Il lance ... il compte!

Le 27 septembre 1972, Moscou.

"Henderson a la rondelle ... il lance ... il compte!"

rondelle (f) puck
lancer to shoot
compter to score

Des millions de téléspectateurs au Canada étaient fous de joie.

joie (f) joy

Le but de Paul Henderson, 34 secondes seulement avant le coup de sifflet final, avait gagné la partie.

but (m) goal
coup de sifflet (m) whistle
partie (f) game

L'Équipe Canada avait remporté la victoire dans la première série entre la Ligue Nationale et l'U.R.S.S.; une série qui avait créé plus d'intérêt au Canada que n'importe quel autre événement sportif.

équipe (f) team
remporter la victoire to win
entre between
intérêt (m) interest
n'importe quel autre any other
événement (m) event

Le hockey sur glace est né en 1885 à Kingston, en Ontario. Aujourd'hui c'est le sport le plus populaire du Canada. Il y a plus de 30 équipes professionnelles dans les deux ligues majeures du Canada et des États-Unis. Des milliers de garçons se lèvent à 4h ou 5h du matin pour jouer, même s'ils savent que très peu d'entre eux vont devenir des Gordie Howe ou des Bobby Orr.

des milliers thousands

même even
peu d'entre eux few of them
devenir to become

Et ce n'est pas seulement au Canada que le hockey est populaire. Il y a maintenant des équipes non seulement en Amérique du Nord et en Europe, mais aussi en Chine, au Japon et en Australie.

Le Hockey

1. Quelle équipe de hockey aimez-vous le mieux? Pourquoi?
2. Qui est votre joueur préféré? Pourquoi?
3. A votre avis (opinion), qui va gagner la coupe Stanley la prochaine fois? Pourquoi?

GORDIE HOWE

EN D'AUTRES MOTS

LES SPORTS

1. Imaginez que vous faites le reportage (play-by-play) d'une partie de hockey à la radio.

Voici quelques expressions pour vous aider:

l'arbitre (m)	referee		compter	to score
le bâton	stick		lancer	to shoot
le but	goal		mettre en échec	to check
la mise au jeu	face-off		passer	to pass
la punition	penalty			
la rondelle	puck			

Vous commencez le reportage:

— Il reste seulement une minute à jouer! Il y a une mise au jeu à la ligne bleue des Canadiens! ...

Maintenant, continuez!

2. 1. Le hockey est le sport le plus populaire du Canada. Dans quels pays les sports suivants (following) sont-ils populaires?

> —le tennis
> —le football
> —le baseball
> —les compétitions d'automobiles
> —les compétitions de bicyclettes

2. Pourquoi est-ce que beaucoup de gens vont en bicyclette de nos jours?

la santé	health
avoir besoin d'exercice	to need exercise
perdre du poids (m)	to lose weight
se détendre	to relax
l'essence (f)	gas
la pollution	

3. Pourquoi le ski est-il si populaire au Canada et en France?

4. Quels sont les événements sportifs les plus importants au Canada? Quels événements aimez-vous le mieux? Pourquoi?

5. Est-ce que vous aimez mieux regarder le sport ou faire du sport? Pourquoi?

6. PROJET: Qu'est-ce que c'est que **Le Tour de France?**

3. Quels nombres manquent?

1. 11, 17, 23, _____ , _____ , _____
2. 13, 16, 19, _____ , _____ , _____
3. 40, 50, 60, _____ , _____ , _____
4. 8, 28, 48, _____ , _____ , _____
5. 4, 34, 64, _____ , _____ , _____

4. Combinez les phrases. Employez les conjonctions:

mais   et   parce que   ou

1. La lune n'était pas impressionnante. Elle n'avait pas de couleur.
2. La lune était impressionnante. Elle n'était pas aussi impressionnante que la terre.

*   *   *   *   *   *

3. Il voulait être avocat. Il étudiait beaucoup.
4. Il étudiait beaucoup. Il voulait être avocat.
5. Il voulait être avocat. Il n'aimait pas étudier.
6. Il va être avocat. Il va travailler à l'université.

*   *   *   *   *   *

7. Mon père gagnait beaucoup d'argent.
   Il en mettait de côté.
8. Mon père gagnait beaucoup d'argent.
   Il n'en mettait pas de côté.
9. Mon père pouvait acheter beaucoup de choses.
   Il avait beaucoup d'argent.
10. Si tu me donnes de l'argent, je peux le mettre de côté. Je peux acheter quelque chose.

5. Trouvez **une** raison et inventez une autre!

1. **Il ne venait pas souvent chez nous**

   1. parce qu'il venait quelquefois.
   2. parce qu'il était très occupé.
   3. parce qu'il s'amusait bien ici.
   4. parce qu'il nous aimait beaucoup.

2. **Elle ne peut pas acheter cette robe**

   1. parce qu'elle a perdu la facture.
   2. parce qu'elle a seulement quelques robes.
   3. parce qu'elle est distraite.
   4. parce que la boutique est fermée.

3. **Il y avait beaucoup de gens à la gare**

   1. parce que tout le monde attendait le bateau.
   2. parce qu'ils ne voulaient pas voyager en train.
   3. parce qu'ils voulaient regarder le match.
   4. parce que tout le monde partait en vacances.

4. **Je ne vais pas me laver**

   1. parce que j'ai soif.
   2. parce que je ne veux pas rester dans mon lit.
   3. parce que l'eau est trop froide.
   4. parce que je suis dans la salle de bain.

5. **Mon oncle n'habite pas en ville**

   1. parce qu'il a une station-service.
   2. parce qu'il fait du soleil.
   3. parce qu'il aime la vie à la campagne.
   4. parce que son fils ne s'y habille pas.

116

6. Pensez à deux questions pour chaque réponse.

1. – Personne!
2. – Rien!
3. – Jamais!
4. – Il ne le fait plus.

Oui, mais on a besoin d'argent pour les acheter.

Il y a des choses dans la vie qui sont beaucoup meilleures que l'argent.

7. CHERCHEZ LE MOT!

X

1. Quel animal se termine en **l**, mais au pluriel en **x**?
2. Quels trois nombres se terminent en **x**?
3. Quel moyen de transport porte un **x**?
4. On les donne à Noël et ils se terminent en **x**.
5. On les porte et ils se terminent en **x**.
6. Une expression qui veut dire: "Je suis capable."
7. Une expression qui veut dire: "Tu désires".
8. Un adjectif âgé qui se termine en **x**.
9. à + les = un mot qui se termine en **x**.
10. Quelles deux parties du corps se terminent en **x**?

Y

1. Quels deux moyens de transport portent un **y**?
2. Quelle partie du corps commence avec **y**?

Z

1. Nommez quatre nombres qui se terminent en **ze**.
2. Quelle expression de quantité se termine en **z**?
3. Une préposition qui se termine en **z** et qui veut dire "à la maison de".
4. Une partie du corps qui se termine en **z**.
5. Quelle exclamation commence avec **z**?

8. Donnez un contraire pour chaque expression, puis employez les deux expressions dans une phrase.

1. **il faisait beau**
2. **en hiver**
3. **première**
4. **arriver**
5. **entrer**
6. **triste**
7. **après**
8. **plus de**
9. **ouvrir**
10. **vieux**

VIVE L'HUMOUR!

Un Canadien et un Russe parlent de leurs projets de vacances. Le Canadien dit qu'il va pêcher.

Le Russe: Moi, je n'attrape (catch) jamais de poissons.

Le Canadien: Eh bien, chez nous, les poissons n'ont pas peur d'ouvrir la bouche.

Le pêcheur parle du grand poisson qu'il a presque (almost) attrapé.

—Quel poisson! Grand comme ça. Énorme! Je n'ai jamais vu un poisson comme ça!

—Là, je te crois, a répondu son ami.

Vocabulaire Actif

MASCULIN

l'endroit	place
l'intérêt	interest
le poisson	fish

FÉMININ

la bouteille	bottle
l'équipe	team
l'essence	gas

VERBES

avoir besoin de	to need
commencer (à)	to begin
connaître	to know
devenir	to become
(follows same pattern as **venir**)	
sauter	to jump
tirer	to pull; to fire (a g

EXPRESSIONS

entre	between
gros (m), grosse (f)	big, fat
même	even; same
pendant	during
presque	almost

Les Mots en Action

1. Quels mots manquent?

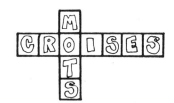

1. Voilà un bel _____ pour un pique-nique!
2. Mon fils veut _____ avocat un jour.
3. Quels sont ses _____? – Il aime pêcher et nager.
4. Il a commencé _____ travailler à 8h.
5. Tiens! Un _____ poisson vient de sauter là-bas!
6. J' _____ de $10.00 pour acheter des provisions.
7. Il a choisi une _____ de vin blanc.
8. Je vais regarder le match _____ les Giants et les Expos.
9. Tout le monde va au match? – Oui, _____ Jean qui n'aime pas le football.
10. Aux Jeux Olympiques elle _____ presque 2 mètres.
11. Regardez ce pauvre cheval qui _____ la calèche.
12. L'_____ Canada a gagné la série.
13. Il y a beaucoup de gros _____ dans ce lac.
14. Arrêtons-nous à la station-service. Je dois acheter de l'_____.
15. Attends! J'ai _____ fini.
16. _____ les vacances nous avons visité le Yukon.

REVIEW OF BOOKS 1~5

ADJECTIVES

FEMININE OF ADJECTIVES

Add "e" to the masculine singular form. If the masculine singular ends in "e", there is no change.

> un petit garçon   une petite fille
> un jeune garçon   une jeune fille

Adjectives ending in **eux** change to **euse**.

> un homme heureux   une femme heureuse

Note:

If the masculine singular ends in "é", add "e".

> Il est occupé.   Elle est occupée.

PLURAL OF ADJECTIVES

Add "s" to the singular.

> le petit garçon   les petits garçons

POSITION OF ADJECTIVES

Most adjectives are found **after** the noun they modify.

> les cheveux *blonds*

The following adjectives are found **in front of** the noun they modify.

> jeune, vieux, nouveau
> joli, beau
> grand, petit, gros
> long,
> bon, mauvais

IRREGULAR ADJECTIVES

SINGULAR		PLURAL	
Masculine	Feminine	Masculine	Feminine
beau, bel	belle	beaux	belles
blanc	blanche	blancs	blanches
bon	bonne	bons	bonnes
cher	chère	chers	chères
dernier	dernière	derniers	dernières
gros	grosse	gros	grosses
long	longue	longs	longues
nouveau, nouvel	nouvelle	nouveaux	nouvelles
premier	première	premiers	premières
quel	quelle	quels	quelles
tout	toute	tous	toutes
vieux, vieil	vieille	vieux	vieilles

COMPARATIVE OF ADJECTIVES (See p. 66.)

SUPERLATIVE OF ADJECTIVES (See p. 99.)

DEMONSTRATIVE ADJECTIVES (this, that, these, those)

	SINGULAR	PLURAL
MASC. + CONSONANT	CE	
MASC. + VOWEL	CET	CES
FEMININE	CETTE	

Note:

-ci and **-là** may be used to make a clear distinction between **this** and **that**, **these** and **those**.

ce livre-ci	ce livre-là	ces livres-ci	ces livres-là
this book	*that* book	*these* books	*those* books

POSSESSIVE ADJECTIVES

MEANING	MASC. SING.	FEM. SING.	PLURAL
my	mon	ma	mes
your (**tu**)	ton	ta	tes
his	son	sa	ses
her	son	sa	ses
our	notre		nos
your (**vous**)	votre		vos
their	leur		leurs

Note:

mon, ton, son are also found before a feminine singular word beginning with a vowel sound.

> *mon* école (f)

2. ADVERBS

FORMATION

The feminine form of the adjective + **ment**

ADJECTIVE			ADVERB	
MASC.	**FEM.**	**+**	MENT	
lent	lente		lentement	slowly
heureux	heureuse		heureusement	fortunately

COMPARATIVE (See p. 66.)

SUPERLATIVE (See p. 99.)

3. ARTICLES

DEFINITE	le, la, l', les (the)
INDEFINITE	un, une (a, an), des (some)
	-object of a negative verb: DE
	Je n'ai pas de soeurs.
PARTITIVE	du, de la, de l' (some, any)
	-object of a negative verb: DE
	Il n'a pas de vin.

CONTRACTIONS WITH *A* AND *DE*

à + le = au	de + le = du
à + les = aux	de + les = des
à + la = à la	de + la = de la
à + l' = à l'	de + l' = de l'

Note:

à and **de** do not contract with the pronoun objects **le, les.**

4. *AVOIR* EXPRESSIONS

avoir raison	to be right
avoir tort	to be wrong
avoir chaud	to be warm
avoir froid	to be cold
avoir soif	to be thirsty
avoir faim	to be hungry
avoir . . . ans	to be . . . years old
avoir peur (de)	to be afraid (of)
avoir besoin (de)	to need

5. DEPUIS

The present tense of the verb plus **depuis** with an expression of time indicates that an action begun in the past is still going on.

> **Il** *travaille depuis* **10 minutes.**
> He *has been working for* 10 minutes (and still is).

Quand combines with **depuis** to ask questions about how long something has been going on.

> *Depuis quand* **est-ce que tu attends?**
> *How long* have you been waiting?

6. IL Y A /VOILA (THERE IS, THERE ARE)

When you point something out: **Voilà**
When you say something exists: **Il y a**

7. INTERROGATIVE

1. Rising intonation of voice: **Tu viens?**

2. **Est-ce que: Est-ce que tu viens?**

3. Inversion: **Viens-tu?**
   Avez-vous mangé?

If the verb ends in a vowel, a **t** is found before **il, elle.**

> **Va-t-il?**
> **A-t-elle parlé?**

8. NEGATIVE

ne . . . pas	not
ne . . . jamais	never
ne . . . plus	no more
ne . . . rien	nothing
ne . . . personne	no one

Ne + Verb + Negative Word

Je **ne** parle **pas** anglais.
Je **ne** vais **jamais** le trouver.
Elle **n'**est **plus** allée en Europe.

Personne, Rien: Position (See pp 12, 16).

9. NUMBERS

CARDINAL

0. **zéro**		27.	**vingt-sept**
1. **un**		28.	**vingt-huit**
2. **deux**		29.	**vingt-neuf**
3. **trois**		30.	**trente**
4. **quatre**		31.	**trente et un**
5. **cinq**		32.	**trente-deux**
6. **six**		40.	**quarante**
7. **sept**		50.	**cinquante**
8. **huit**		60.	**soixante**
9. **neuf**		61.	**soixante et un**
10. **dix**		69.	**soixante-neuf**
11. **onze**		70.	**soixante-dix**
12. **douze**		71.	**soixante et onze**
13. **treize**		72.	**soixante-douze**
14. **quatorze**		79.	**soixante-dix-neuf**
15. **quinze**		80.	**quatre-vingt**
16. **seize**		81.	**quatre-vingt-un**
17. **dix-sept**		82.	**quatre-vingt-deux**
18. **dix-huit**		89.	**quatre-vingt-neuf**
19. **dix-neuf**		90.	**quatre-vingt-dix**
20. **vingt**		91.	**quatre-vingt-onze**
21. **vingt et un**		92.	**quatre-vingt-douze**
22. **vingt-deux**		98.	**quatre-vingt-dix-huit**
23. **vingt-trois**		99.	**quatre-vingt-dix-neuf**
24. **vingt-quatre**		100.	**cent**
25. **vingt-cinq**		1,000.	**mille**
26. **vingt-six**		1,000,000.	**un million**

ORDINAL

1st:	**le premier, la première**
2nd:	**le deuxième, la deuxième**
3rd:	**le troisième, la troisième**
4th:	**le quatrième, la quatrième**
5th:	**le cinquième, la cinquième**
8th:	**le huitième, la huitième**
9th:	**le neuvième, la neuvième**

PLURAL

Add "s" to the singular.

> **le petit garçon   les petits garçons**

Notes:

1. If a word ends in "eau", add "x" in the plural.

> **le beau chapeau   les beaux chapeaux**

2. Many words ending in "al" change to "aux" in the plural.

> **le journal   les journaux**

11. PREPOSITIONS + PLACE NAMES

TO, IN	fem. country	en	en Angleterre
	masc. country	au	au Canada
	plural country	aux	aux États-Unis
	city or town	à	à Montréal

PROVINCES (See p. 78.)

PRONOUNS

Subject	Direct Object	Indirect Object	Reflexive	Emphatic
je	me	me	me	moi
tu	te	te	te	toi
il	le	lui	se	lui
elle	la	lui	se	elle
nous	nous	nous	nous	nous
vous	vous	vous	vous	vous
ils	les	leur	se	eux
elles	les	leur	se	elles

Y (THERE)

Ils sont *dans le salon*? – Oui, ils *y* sont.
Tu veux aller *en Europe*? – Oui, je veux *y* aller.

PRONOUN OBJECTS: POSITION AND ORDER

Pronoun objects are found in front of the verb of which they are object.

> **Je *le* regarde.**
> **Je veux *le* regarder.**

In the Passé Composé they are found in front of the verb **avoir.**

> **Ils *l'* ont regardé.**

If there is more than one pronoun object they are found in the following order:

EN

En occurs in three situations.

1. **EN** (some, any) replaces a noun preceded by **DU, DE, DE LA, DE L', DE, DES.**

> **Voulez-vous *du* sucre? – Non merci, j'*en* ai déjà.**

2. If a number is used without a noun, en (of them) appears before the verb.

> **J'aime ces chemises. Je vais *en* acheter *une*.**

3. If an expression of quantity is used without a noun, **en** (of it, of them) appears before the verb.

> **Elle a acheté beaucoup de chocolat! – Oui, elle *en* mange *trop*.**

me te se nous vous	before	le la les	before	lui leur	before	y	before	en	+ VERB

> **Il *me les* donne.**
> **Je ne *leur en* ai pas donné.**
> **Il *y en* a trois.**

Pronoun Objects with Imperative: (See p. 40.)

INTERROGATIVE PRONOUNS

WHO? (People)	QUI? QUI EST-CE QUE?	Subject of Verb Object of Verb
WHAT? (Things)	QU'EST-CE QUI? QU'EST-CE QUE?	Subject of Verb Object of Verb

REFLEXIVE PRONOUNS

When the subject and the object of a verb refer to the same person or thing, the verb is called a reflexive verb.

Je *me* **lave.** I am washing (myself).

PRONOUN PATTERN OF REFLEXIVE VERBS

je m(e) ...	**nous nous** ...
tu t(e) ...	**vous vous** ...
il s(e) ...	**ils s(e)** ...
elle s(e) ...	**elles s(e)** ...

This pronoun pattern also appears when a verb is completed by an infinitive.

je vais m(e) ...	**nous allons nous** ...
tu vas t(e) ...	**vous allez vous** ...
il va s(e) ...	**ils vont s(e)** ...
elle va s(e) ...	**elles vont s(e)** ...

RELATIVE PRONOUNS

WHO, THAT, WHICH	QUI	Subject of Verb
WHOM, THAT, WHICH	QUE	Object of Verb

13. RECENT PAST (See p. 36.)

14. QUANTITY: EXPRESSIONS OF

how much, how many?	**combien?**	
a lot of, lots of, many	**beaucoup**	
less	**moins**	
more	**plus**	
too much, too many	**trop**	DE + noun
a little (a small amount)	**un peu**	
a bottle	**une bouteille**	
a piece	**un morceau**	
a glass	**un verre**	

15. VERBS

PRESENT

ER VERBS

Remove **er** from the infinitive and add endings.

je ... e	nous ... ons
tu ... es	vous ... ez
il ... e	ils ... ent

RE VERBS

Remove **re** from the infinitive and add endings.

je ... s	nous ... ons
tu ... s	vous ... ez
il ...	ils ... ent

REFLEXIVE VERBS

je me ...	nous nous ...
tu te ...	vous vous ...
il se ...	ils se ...

IRREGULAR VERBS (See p. 125.)

IMPERATIVE

The imperative forms of the verb are used to give commands. There are THREE imperative forms for each French verb.

vendre -	**Vends!**	Sell! (**tu** understood)
	Vendons!	Let us sell! (**nous** understood)
	Vendez!	Sell! (**vous** understood)

If the ending of the **tu** form of the verb is "es", there is no "s" in the imperative.

INFINITIVE	STATEMENT	IMPERATIVE
fermer	tu ferm*es*	Ferme!
ouvrir	tu ouvr*es*	Ouvre!

This also applies to **aller**.

tu va*s*	**V***a*!

IMMEDIATE FUTURE

Present tense of **aller** plus an infinitive:

Je *vais voir.*   **I** *am going to see.*

PASSÉ COMPOSÉ

1. Most verbs: Present tense of **avoir** + past participle.

    j'ai parl*é*
    ils n'ont pas répond*u*

2. The following verbs: Present tense of **être** + past participle.

    il est all*é*
    nous sommes part*is*

    aller, arriver, descendre, entrer, monter, partir, rentrer, rester, retourner, sortir, tomber, venir.

3. Reflexive verbs: Present tense of **être** + past participle.

    je me suis lev*é*
    elle s'est arrêt*ée*

PAST PARTICIPLE

1. Formation: **-ER** verbs aid~~er~~ + *é* = **aid**é
                -RE verbs **vend**~~re~~ + *u* = **vend**u

2. Agreement of Past Participle:

Avoir Verbs: The past participle agrees with the PRECEDING DIRECT OBJECT.

  1. Pronoun Object: **Il** $\boxed{\textbf{les}}$ **a acheté**s.

  2. Relative Pronoun **que**:
      Voilà les chemises $\boxed{\textbf{qu'}}$ **il a acheté**es.

  3. Noun Object:
      Quelle $\boxed{\textbf{voiture}}$ **est-ce qu'il a acheté**e?

Être Verbs: The past participle agrees with the Subject.

      Marie **est parti**e.

      Elles **se sont lev**ées.

IMPERFECT: (See p. 62.)

PLUPERFECT: (See p. 103.)

VERBS

REGARDER
to look at

Present:	je regarde, tu regardes, il regarde, nous regardons, vous regardez, ils regardent
Imperative:	regarde, regardons, regardez
Imperfect:	je regardais
Passé Composé:	j'ai regardé

ATTENDRE
to wait for

Present:	j'attends, tu attends, il attend, nous attendons, vous attendez, ils attendent
Imperfect:	j'attendais
Passé Composé:	j'ai attendu

ACHETER
to buy

Present:	j'achète, tu achètes, il achète, nous achetons, vous achetez, ils achètent
Imperative:	achète, achetons, achetez
Imperfect:	j'achetais
Passé composé:	j'ai acheté

ALLER
to go

Present:	je vais, tu vas, il va, nous allons, vous allez, ils vont
Imperative:	va, allons, allez
Imperfect:	j'allais
Passé Composé:	je suis allé(e)

APPRENDRE
to learn
(see prendre)

AVOIR
to have

Present:	j'ai, tu as, il a, nous avons, vous avez, ils ont
Imperfect:	j'avais
Passé Composé:	j'ai eu

CHOISIR
to choose

Present:	je choisis, tu choisis, il choisit, nous choisissons, vous choisissez, ils choisissent
Imperfect:	je choisissais
Passé Composé:	j'ai choisi

COMPRENDRE (See prendre)
to understand

CONNAITRE to know	Present:	je connais, tu connais, il connaît, nous connaissons, vous connaissez, ils connaissent
	Imperfect:	je connaissais
	Passé Composé:	j'ai connu

DEVENIR (See venir)
to become

DEVOIR to have to, must	Present:	je dois, tu dois, il doit, nous devons, vous devez, ils doivent
	Imperfect:	je devais
	Passé Composé:	j'ai dû
DIRE to say, to tell	Present:	je dis, tu dis, il dit nous disons, vous dites, ils disent
	Imperfect:	je disais
	Passé Composé:	j'ai dit
ETRE to be	Present:	je suis, tu es, il est, nous sommes, vous êtes, ils sont
	Imperfect:	j'étais
	Passé Composé:	j'ai été
FAIRE to do, to make	Present:	je fais, tu fais, il fait nous faisons, vous faites, ils font
	Imperfect:	je faisais
	Passé Composé:	j'ai fait
FINIR to finish	Present:	je finis, tu finis, il finit, nous finissons, vous finissez, ils finissent
	Imperfect:	je finissais
	Passé Composé:	j'ai fini
LEVER to lift	Present:	je lève, tu lèves, il lève, nous levons, vous levez, ils lèvent
	Imperative:	lève, levons, levez
	Imperfect:	je levais
	Passé Composé:	j'ai levé
LIRE to read	Present:	je lis, tu lis, il lit, nous lisons, vous lisez, ils lisent
	Imperfect:	je lisais
	Passé Composé:	j'ai lu
METTRE to put, to put on	Present:	je mets, tu mets, il met, nous mettons, vous mettez, ils mettent
	Imperfect:	je mettais
	Passé Composé:	j'ai mis
OUVRIR to open	Present:	j'ouvre, tu ouvres, il ouvre, nous ouvrons, vous ouvrez, ils ouvrent
	Imperative:	ouvre, ouvrons, ouvrez
	Imperfect:	j'ouvrais
	Passé Composé:	j'ai ouvert
PARTIR to leave	Present:	je pars, tu pars, il part nous partons, vous partez, ils partent
	Imperfect:	je partais
	Passé Composé:	je suis parti(e)
POUVOIR to be able, can	Present:	je peux, tu peux, il peut, nous pouvons, vous pouvez, ils peuvent
	Imperfect:	je pouvais
	Passé Composé:	j'ai pu
PRENDRE to take	Present:	je prends, tu prends, il prend nous prenons, vous prenez, ils prennent
	Imperfect:	je prenais
	Passé Composé:	j'ai pris

REVENIR	(See venir)	
to return		
SAVOIR	Present:	je sais, tu sais, il sait,
to know (how)		nous savons, vous savez, ils savent
	Imperfect:	je savais
	Passé Composé:	j'ai su
SORTIR	Present:	je sors, tu sors, il sort,
to go out		nous sortons, vous sortez, ils sortent
	Imperfect:	je sortais
	Passé Composé:	je suis sorti(e)
VENIR	Present:	je viens, tu viens, il vient,
to come		nous venons, vous venez, ils viennent
	Imperfect:	je venais
	Passé Composé:	je suis venu(e)
VOIR	Present:	je vois, tu vois, il voit,
to see		nous voyons, vous voyez, ils voient
	Imperfect:	je voyais
	Passé Composé:	j'ai vu
VOULOIR	Present:	je veux, tu veux, il veut,
to want, wish		nous voulons, vous voulez, ils veulent
	Imperfect:	je voulais
	Passé Composé:	j'ai voulu

DICTIONNAIRE ANGLAIS — FRANÇAIS

a, an: un (m), une (f)
able: to be able: pouvoir
about: to talk about: parler de
absent: absent
absent-minded: distrait
to accept: accepter
accident: accident (m)
according to: selon
account (bank): compte (m)
action: action (f)
active: actif (m), active (f)
actor: acteur (m)
address: adresse (f)
adjective: adjectif (m)
to adore: adorer
advantage: avantage (m)
afraid: to be afraid: avoir peur
Africa: Afrique (f)
African (adj.): africain
after: après
   shortly after: peu après
afternoon: après-midi (m)
   good afternoon: bonjour
   in the afternoon(s): l'après-midi
again: de nouveau, encore
age: âge (m)
agency: agence (f)
agent: agent (m)
air: air (m)
airplane: avion (m)
   by plane: en avion
airport: aéroport (m)
alarm clock: réveil (m)

   to set the alarm: mettre le réveil
Alberta: Alberta (m)
album: album (m)
algebra: algèbre (f)
alive: en vie
all: tout (tous)(m), toute (toutes)(f)
almost: presque
alone: seul
alphabet: alphabet (m)
already: déjà
also: aussi
always: toujours
   as always: comme toujours
America: Amérique (f)
   North America: Amérique du Nord (f)
American (adj.): américain
to amuse: amuser
amusement: amusement (m)
to analyse: analyser
and: et
animal: animal (m s.), animaux (m pl.)
answer: réponse (f)
to answer: répondre
anymore: not anymore: ne . . . plus
apartment: appartement (m)
to apologize: s'excuser
appearance: apparence (f)
apple: pomme (f)
to approach: s'approcher de
April: avril (m)
arm: bras (m)
around: autour de
   around 6 o'clock: vers 6 heures

to arrest: arrêter
to arrive: arriver
art: dessin (m)
as: comme
   as always, as usual: comme toujours
   as ... as: aussi ... que
Asia: Asie (f)
to ask (inquire): demander
   to ask a question: poser une question
asleep: to fall asleep: s'endormir
aspirin: aspirine (f)
at: à
   at home: à la maison
   at Mary's: chez Marie
athletic: sportif (m), sportive (f)
attention: to pay attention: faire attention
August: août (m)
aunt: tante (f)
Australia: Australie (f)
author: auteur (m)
awful: terrible

baby: bébé (m)
back: dos (m)
bad: mauvais
   it's bad weather: il fait mauvais
   that's too bad: c'est dommage
badly: mal
bag: sac (m)
   sleeping bag: sac de couchage (m)
bait: leurre (m)
bald: chauve
banana: banane (f)
bank: banque (f)
baseball: baseball (m)
   to play baseball: jouer au baseball
basketball: basketball (m)
   to play basketball: jouer au basketball
bathroom: salle de bain (f)
to be: être
beach: plage (f)
bean: haricot (m)
beard: barbe (f)
   to let one's beard grow: se laisser pousser la barbe
beautiful: beau (m), belle (f)
beauty: beauté (f)
beaver: castor (m)
because: parce que
to become: devenir
bed: lit (m)
   to put someone to bed: coucher
   to go to bed: se coucher
bedroom: chambre (à coucher)(f)
beef: boeuf (m)
beer: bière (f)
before: avant
to begin: commencer
   to begin again; recommencer
behind: derrière
Belgium: Belgique (f)
to believe: croire
best: le meilleur (m), la meilleure (f) (adj.)
   le mieux (adv.)
better: meilleur (adj.)
   mieux (adv.)
between: entre

bicycle: bicyclette (f)
big: grand; gros (m), grosse (f)
bikini: bikini (m)
bill: facture (f); **(in a restaurant):** addition (f)
birth: naissance (f)
   date of birth: date de naissance (f)
   birthplace: lieu de naissance (m)
birthday: anniversaire (m)
bit: morceau (m s.), morceaux (m pl.)
black: noir
to blame: blâmer
blond: blond
blouse: blouse (f)
to blow: souffler
blue: bleu
board: on board: à bord de
boat: bateau (m s.), bateaux (m pl.)
body: corps (m)
book: livre (m)
born: né (m), née (f)
to borrow: emprunter
boss: patron (m)
bottle: bouteille (f)
boy: garçon (m)
boy friend: ami (m), copain (m)
bread: pain (m)
to break: casser
breakfast: Canada: déjeuner (m)
   France: petit déjeuner (m)
to bring: apporter
   to bring back: rapporter
British Columbia: Colombie-Britannique(f)
brother: frère (m)
brown: brun
to brush: brosser
   to brush one's teeth: se brosser les dents
buddy: old buddy: mon vieux
building: bâtiment (m)
bus: autobus (m)
bus stop: arrêt d'autobus (m)
busy: occupé (m), occupée (f)
but: mais
to buy: acheter
by: en, par

cab: taxi (m)
cabin: cabine (f)
   space cabin: cabine spatiale (f)
cafeteria: cafétéria (f)
cake: gâteau (m s.), gâteaux (m pl.)
camera: appareil (m)
to camp: faire du camping
can: to be able: pouvoir
Canada: Canada (m)
Canadian (adj.): canadien (m), canadienne (f)
candy: bonbon (m)
capable: capable
car: auto (f), voiture (f)
card: carte (f)
   credit card: carte de crédit (f)
career: carrière (f)
carnival: carnaval (m)
carpet: tapis (m)
carriage: horsedrawn carriage: calèche (f)
carrot: carotte (f)
to carry: porter

to cash (a cheque): toucher
cashier: caissière (f)
to catch: attraper, prendre
cathedral: cathédrale (f)
centre: centre (m)
certain: certain, sûr
chair: chaise (f)
change (coin): monnaie (f)
to change: changer
character (in a novel): personnage (m)
character (personality): caractère (m)
to check: vérifier
checkers: dames (f pl.)
   to play checkers: jouer aux dames
cheese: fromage (m)
cheque: chèque (m)
chess: échecs (m pl.)
   to play chess: jouer aux échecs
chicken: poulet (m)
child: enfant (m,f)
China: Chine (f)
Chinese (language): chinois (m)
chocolate: chocolat (m)
choice: choix (m)
to choose: choisir
chop: côtelette (f)
   pork chop: côtelette de porc (f)
Christmas: Noël (m)
church: église (f)
cigar: cigare (m)
cigarette: cigarette (f)
city: ville (f)
   in(to) the city, downtown: en ville
class: classe (f)
classic(al): classique
classroom: (salle de) classe (f)
to close: fermer
clothes: vêtements (m pl.)
clue: indice (m)
coat: manteau (m s.), manteaux (m pl.)
Coca-Cola: Coca (m)
coffee: café (m)
coffee-break: pause-café (f)
coin: pièce (f)
cold: froid
   it's cold (weather): il fait froid
   to be cold (person): avoir froid
   to be cold (thing): être froid
to collect: collectionner
colour: couleur (f)
   what colour?: de quelle couleur?
to come: venir
   to come down: descendre
   to come home: rentrer
   to come to: That comes to ... : Ça fait ...
   What does that come to?: Ça fait combien?
comfort: confort (m)
comfortable: confortable
comics: bandes dessinées (f pl.)
to communicate: communiquer
company: compagnie (f)
to compare: comparer
complete: complet (m), complète (f)
to complete: compléter
composed: composé (m), composée (f)
composition: composition (f)
concert: concert (m)
continent: continent (m)

to continue: continuer
conversation: conversation (f)
cool: frais
   it's cool: il fait frais
correct: correct
correspondent: correspondant (m), correspondante (f)
corridor: corridor (m)
to cost: coûter
country: pays (m)
country(side): campagne (f)
   in(to) the country: à la campagne
cousin: cousin (m), cousine (f)
crater: cratère (m)
crazy: fou (fous)(m), folle (folles)(f)
cream: crème (f)
to create: créer
crowd: foule (f)
to cultivate: cultiver
cup: tasse (f)

Dad: Papa
dance, dancing: danse (f)
to dance: danser
dangerous: dangereux (m), dangereuse (f)
darn it!: zut!
date: date (f)
   birthdate: date de naissance (f)
daughter: fille (f)
day: jour (m), journée (f)
   a (per) day: par jour
   every day: tous les jours
   good day: bonjour
dear: cher (m), chère (f)
December: décembre (m)
to decide: décider
to declare: déclarer
demand: demande (f)
Denmark: Danemark (m)
dentist: dentiste (m)
to describe: décrire
desert: désert (m)
desk: bureau (m s.), bureaux (m pl.)
dessert: dessert (m)
detail: détail (m)
detective: détective (m)
   detective story: roman policier (m)
   detective program: programme policier (m)
to develop: développer
dialogue: dialogue (m)
difference: différence (f)
different: différent
difficult: difficile
dining room: salle à manger (f)
dinner: Canada: souper (m)
   France: dîner (m)
   to eat dinner: dîner
direction: direction (f)
to disappear: disparaître
   disappeared: disparu
disaster: désastre (m)
discotheque: discothèque (f)
to disguise: déguiser
to dislike: détester
distance: distance (f)
district: quartier (m)
divorced: divorcé (m), divorcée (f)

to do: faire
doctor: docteur (m), médecin (m)
dog: chien (m)
dollar: dollar (m)
door: porte (f)
downtown: en ville
drawer: tiroir (m)
dress: robe (f)
to dress (someone else): habiller
dressed: to get dressed: s'habiller
drink: boisson (f)
driver: chauffeur (m)
during: pendant
duty: devoir (m)

each: chaque
ear: oreille (f)
early: tôt
to earn: gagner
earth: terre (f)
east: est (m)
Easter: Pâques (m)
easy: facile
to eat: manger
   to eat dinner: dîner
   to eat breakfast, lunch: déjeuner
education: éducation (f)
effort: effort (m)
eh?: hein?
eighth: huitième (8e)
electricity: électricité (f)
elegant: élégant
elephant: éléphant (m)
elevator: ascenseur (m)
eleventh: onzième (11e)
employee: employé (m), employée (f)
empty: vide
end: fin (f)
to end (come to an end): se terminer
engineer: ingénieur (m)
England: Angleterre (f)
English(adj.): anglais
English (language): anglais (m)
Englishman: Anglais (m)
enormous: énorme
enough: assez
to enter: entrer
envelope: enveloppe (f)
error: erreur (f)
especially: surtout
Europe: Europe (f)
even: même
evening: soir (m)
   in the evening(s): le soir
   this evening: ce soir
event: événement (m)
ever: jamais
every: chaque
everybody: tout le monde
everything: tout
exactly: exactement
exam: examen (m)
example: exemple (m)
excellent: excellent
exciting: passionnant
excuse: excuse (f)

to excuse: excuser
   to excuse oneself (apologize): s'excuser
exercise: exercice (m)
to exist: exister
expensive: cher (m), chère (f)
experience: expérience (f)
to explain: expliquer
expression: expression (f)
eyes: yeux (m pl.)

face: visage (m)
factory: usine (f)
to faint: tomber évanoui
fall: automne (m)
   in fall: en automne
to fall: tomber
to fall asleep: s'endormir
family: famille (f)
famous: célèbre; fameux (m), fameuse (f)
fast: vite
fat: gros (m), grosse (f)
father: père (m)
favourite: préféré (m), préférée (f)
February: février (m)
few: a few: quelques
   few of them: peu d'entre eux
fifth: cinquième (5e)
to fight: se battre
film: film (m)
finally: enfin
to find: trouver
fine: I'm fine: That's fine: Ça va.
   to be fine: aller bien
finger: doigt (m)
to finish: finir
first: premier (1er)(m), première (1re)(f)
fish: poisson (m)
to fish: pêcher
fishing: pêche (f)
floor (of a building): étage (m)
   on the . . . floor: au . . . étage
to fly: voler
foggy: it's foggy: il fait du brouillard
to follow: suivre
following: suivant
food: nourriture (f)
foot: pied (m)
   on foot: à pied
   on the right foot: du bon pied
football: football (m)
   to play football: jouer au football
for: pour; depuis (with expression of time)
   for you: pour vous
to forget: oublier
form: forme (f)
fortunately: heureusement
fourth: quatrième (4e)
France: France (f)
free: libre
French (adj.): français
French (language): français (m)
French fries: pommes frites (f)
Frenchman: Français (m)
Friday: vendredi (m)
friend: ami (m), amie (f); copain (m), copine (f)
frightened: effrayé (m), effrayée (f)
from: de
front: in front of: devant

fruit: fruit (m)
full: plein
fun: to have a lot of fun: s'amuser beaucoup
   to make fun of: se moquer de
furniture: meubles (m pl.)
   a piece of furniture: meuble (m)
future: avenir (m) (future time); futur (m) (future tense)

game: jeu (m); match (m); partie (f)
gang: bande (f)
garage: garage (m)
gas (gasoline): essence (f)
generally: d'habitude
gentleman: monsieur (m s.), messieurs (m pl.)
gently: doucement
geography: géographie (f)
German (adj.): allemand
Germany: Allemagne (f)
to get dressed: s'habiller
to get into (the car): monter dans (l'auto)
to get up: se lever
to get washed: se laver
gift: cadeau (m s.), cadeaux (m pl.)
girl: fille (f); jeune fille (f)
girl friend: amie (f), copine (f)
to give: donner
to give back: rendre
glass: verre (m)
to go: aller
   to go away: partir
   to go back: rentrer; retourner
   to go down: descendre
   to go home: rentrer
   to go in: entrer
   to go out: sortir
   to go up: monter
goal: but (m)
golf: golf (m)
   to play golf: jouer au golf
good: bon (m), bonne (f)
   good afternoon: bonjour
   good day: bonjour
   Good grief!: Mon Dieu!
   good morning: bonjour
goodbye: au revoir
grandfather: grand-père (m)
grandmother: grand-mère (f)
grandparents: grands-parents (m pl.)
grapefruit: pamplemousse (f)
gray: gris
great!: fantastique!, formidable!
green: vert
ground: terre (f)
group: groupe (m)
to grow: cultiver
grow: to let one's beard grow: se laisser pousser la barbe
gymnastics: gymnastique (f)

hair: cheveux (m pl.)
hairdresser: coiffeur (m)
half: demi
hand: main (f)
handkerchief: mouchoir (m)

handsome: beau (m), belle (f)
to happen: se passer
happiness: bonheur (m)
happy: content; heureux (m), heureuse (f)
hat: chapeau (m s.), chapeaux (m pl.)
to have: avoir
to have a good time: s'amuser
to have to: devoir
head: tête (f)
health: santé (f)
to hear: entendre
height: taille (f)
hello: allô (on the phone); bonjour (greeting)
to help: aider
here: ici
here is, here are: voici; voilà
   here I am: me voilà
hey!: dis donc!, tiens!
hi!: salut!
high school: école secondaire (f); lycée (m)(in France)
highway: route (f)
history: histoire (f)
to hitch hike: faire du pouce
hockey: hockey (m)
   to play hockey: jouer au hockey
   hockey game: partie de hockey (f)
hold-up: hold-up (m)
hole: trou (m)
holiday (special day): fête (f)
   holidays: vacances (f pl.)
   on holiday: en vacances
home: foyer (m)
home: at (to) the home of: chez
home economics: économie domestique (f)
homework: devoirs (m pl.)
horrible: horrible
horse: cheval (m s.), chevaux (m pl.)
hospital: hôpital (m)
hostel: youth hostel: auberge de la jeunesse (f)
hot: chaud
   it's hot (weather): il fait chaud
   to be hot (person): avoir chaud
   to be hot (thing): être chaud
hotel: hôtel (m)
hour: heure (f)
house: maison (f)
how: comment
   How are you?, How are things?: Ça va?
   how long (of time): depuis quand
   how many, how much: combien
human: humain
humour: humour (m)
hungry: to be hungry: avoir faim
to hurry: se dépêcher
husband: mari (m)

ice: glace (f)
ice cream: glace (f)
idea: idée (f)
idiot: idiot (m)
if: si
imagination: imagination (f)
to imagine: imaginer
immediately: tout de suite
immense: immense
impatience: impatience (f)
important: important

impossible: impossible
impressive: impressionnant
in: à, dans, en
   in French: en français
   in school: à l'école
   in the room: dans la salle
Indian (adj.): indien
to insist: insister
inspector: inspecteur (m)
intelligent: intelligent; malin
interest: intérêt (m)
to interest: intéresser
interesting: intéressant
to interview: interviewer
invitation: invitation (f)
to invite: inviter
island: île (f)
it: That's it!: C'est ça!
Italian (language): italien (m)
Italy: Italie (f)
it must be: ça doit être
it's: c'est

January: janvier (m)
Japan: Japon (m)
Japanese (adj.): japonais
jazz: jazz (m)
job: emploi (m)
joy: joie (f)
juice: jus (m)
July: juillet (m)
to jump: sauter
June: juin (m)

karate: karaté (m)
key: clef (f)
kidding: no kidding: sans blague
kilometre: kilomètre (m)
kind: sorte (f)
to kiss: embrasser
kitchen: cuisine (f)
to know (a person, place): connaître
   to know a fact, to know how: savoir

laboratory: laboratoire (m)
lady: dame (f)
lake: lac (m)
language: langue (f)
large: grand; gros (m), grosse (f)
last: dernier (m), dernière (f)
last: at last: enfin
last: last year: l'année passée
late: en retard, tard
later: plus tard
lawyer: avocat (m)
lazy: paresseux (m), paresseuse (f)
to learn: apprendre
to leave: to go away: partir
   to leave: to go out of: quitter

to leave behind: laisser
left: gauche
   (to, on) the left: à gauche
leg: jambe (f)
to lend: prêter
less ... than: moins ... que, pas aussi ... que
lesson: leçon (f)
let: to let one's beard grow: se laisser pousser la bar
   let: to give permission: donner la permission
letter: lettre (f)
library: bibliothèque (f)
to lie (to tell a lie): mentir
life: vie (f)
life style: manière de vivre (f)
to lift: lever
like: like that: comme ça
to like: aimer
line: ligne (f)
list: liste (f)
to listen (to): écouter
little: petit
   a little (a small amount): un peu
to live (to inhabit): habiter
   to live (to be alive): vivre
living room: salon (m)
long: long (m), longue (f)
   how long (of time): depuis quand
   (for) a long time: longtemps
longer: no longer: ne ... plus
long live ... !: vive ... !
to look at: regarder
to look for: chercher
to look like: ressembler à
to lose: perdre
   to lose weight: perdre du poids
lots, a lot of: beaucoup
to love: aimer
luck: chance (f)
   what luck!: quelle chance!
luggage: bagages (m pl.)
lunch: Canada: dîner (m)
   France: déjeuner (m)

machine: machine (f)
made: fabriqué (m), fabriquée (f)
magnificent: magnifique
to make: faire
to make fun of: se moquer de
to make up (face): se maquiller
man: homme (m)
Man and his World: Terre des Hommes (f)
Manitoba: Manitoba (m)
manner: manière (f)
manufactured: fabriqué (m), fabriquée (f)
many: beaucoup
   how many: combien
   too many: trop
March: mars (m)
married: marié (m), mariée (f)
Martian: Martien (m)
marvellous: magnifique
mathematics (math): mathématiques (maths) (f pl.)
matter: that doesn't matter: ça ne fait rien
may: to have permission: pouvoir
May: mai (m)
meal: repas (m)

mean: that means: ça veut dire
member: membre (m)
method: méthode (f)
Mexican (adj.): mexicain
Mexico: Mexique (m)
midnight: minuit (m)
milk: lait (m)
minute: minute (f)
Miss: mademoiselle (Mlle)
to miss: to be missing: manquer
mission: mission (f)
modern: moderne
Mom: Maman
moment: instant (m), moment (m)
   for a moment: un instant
   in a moment: dans un instant
Monday: lundi (m)
   from Monday to Friday: du lundi au vendredi
money: argent (m)
   change: monnaie (f)
monster: monstre (m)
month: mois (m)
monument: monument (m)
moon: lune (f)
moral: morale (f)
more: plus
   more . . . than: plus . . . que
   no more: ne . . . plus
morning: matin (m)
   good morning: bonjour
   in the morning(s): le matin
(the) most — : le (la, les) plus . . .
mother: mère (f)
motor: moteur (m)
motorcycle: motocyclette (f), moto (f)
mountain: montagne (f), mont (m)
moustache: moustaches (f pl.)
mouth: bouche (f)
to move: bouger
movie: film (m)
movies: cinéma (m)
Mr.: monsieur (M.)
Mrs.: madame (Mme)
much: beaucoup
   how much: combien
   too much: trop
museum: musée (m)
music: musique (f)
must: to have to: devoir

name: nom (m)
   first name: prénom (m)
   surname: nom de famille (m)
nasty: it's nasty (weather): il fait mauvais
nation: nation (f)
national holiday: fête nationale (f)
near: près de
neighbourhood: quartier (m)
never: ne . . . jamais
new: nouveau(x) (m), nouvelle(s) (f)
New Brunswick: Nouveau-Brunswick (m)
Newfoundland: Terre-Neuve (f)
news: nouvelles (f pl.)
newspaper: journal (m s.), journaux (m pl.)
New Year's Day: Jour de l'An (m)
next (adj.): prochain

next (adv.): puis
nice: gentil (m), gentille (f)
nice: it's nice (weather): il fait beau
night: nuit (f)
ninth: neuvième (9e)
no: non
   no longer: ne . . . plus
noise: bruit (m)
   what a noise!: quel bruit!
noon: midi (m)
no one: ne . . . personne
north: nord (m)
North America: Amérique du Nord (f)
Northwest Territories: Territoires du Nord-Ouest (m pl.)
nose: nez (m)
not: ne . . . pas
   not anymore: ne . . . plus
note-book: cahier (m)
nothing: ne . . . rien
Nova Scotia: Nouvelle-Écosse (f)
novel: roman (m)
now: maintenant
number: numéro (m)
   telephone number: numéro de téléphone
nylon: nylon stocking: bas de nylon (m)

object: objet (m)
ocean: océan (m)
o'clock: at six o'clock: à six heures
October: octobre (m)
of: de
of course: bien sûr
off: to get off: débarquer
to offer: offrir
office: bureau (m s.), bureaux (m pl.)
often: souvent
okay: ah bon, ça va, d'accord
old: vieux (m), vieille (f)
   He is . . . years old: Il a . . . ans
   How old is he?: Quel âge a-t-il?
omelette: omelette (f)
on: à; sur
   on the table: sur la table
   on T.V.: à la télé
one, they (impersonal): on
onion: oignon (m)
only: seulement
Ontario: Ontario (m)
to open: ouvrir
   opened: ouvert
opinion: avis (m)
   in my opinion: à mon avis
opposite: contraire (m)
or: ou
orange: orange (f)
orbit: orbite (f)
other: autre
   any other: n'importe quel(le) autre
over there: là-bas

package: paquet (m)
pain: to have pain in: avoir mal à
pal: mon vieux

palace: palais (m)
pants: pantalon (m)
paper: papier (m)
parents: parents (m pl.)
Parisian: parisien
park: parc (m)
part: partie (f)
to pass: passer
past: passé (m)
pastime: passe-temps (m)
pastry: pâtisserie (f)
pavilion: pavillon (m)
to pay (for): payer
peas: petits pois (m pl.)
pen: stylo (m)
pencil: crayon (m)
people: gens (m pl.)
perhaps: peut-être
period: période (f)
permission: permission (f)
  to have permission: pouvoir
person: personne (f)
photograph: photo (f)
physical: physique
  physical education: éducation physique (f)
picnic: pique-nique (m)
picture: photo (f)
picturesque: pittoresque
pie: tarte (f)
piece: morceau (m s.), morceaux (m pl.)
pink: rose
pipe: pipe (f)
place: endroit (m), lieu (m)
  birthplace: lieu de naissance (m)
plan: projet (m)
planet: planète (f)
plant: plante (f)
to play: jouer
  to play football: jouer au football
player: joueur (m)
pleasant: agréable
please: s'il te plaît, s'il vous plaît
poker: poker (m)
police: police (f)
policeman: agent de police (m)
poor: pauvre
popular: populaire
port: port (m)
porter: porteur (m)
portrait: portrait (m)
Portugal: Portugal (m)
possible: possible
poster: poster (m)
potato: pomme de terre (f)
  mashed potatoes: pommes en purée (f)
to pour: verser
to prefer: aimer mieux, préférer
  preferred: préféré (m), préférée (f)
to prepare: préparer
present: cadeau (m s.), cadeaux (m pl.)
to present: présenter
president: président (m)
pretty: joli
price: prix (m)
primary: primaire
Prince Edward Island: Île du Prince-Édouard (f)
principal: directeur (m)
probably: probablement

problem: problème (m)
profession: profession (f)
program: programme (m)
  detective program: programme policier (m)
project: projet (m)
pronunciation: prononciation (f)
province: province (f)
puck: rondelle (f)
to pull: tirer
pullover: pullover (m)
pupil: élève (m, f)
purple: violet (m), violette (f)
purse: sac à main (m)
to put: to put on: mettre

quantity: quantité (f)
quarter: quart (m)
Quebec: Québec (m)
question: question (f)
quickly: vite

radio: radio (f)
rain: pluie (f)
  it's raining: il pleut
raincoat: imperméable (m)
to raise: lever
rapid: rapide
reaction: réaction (f)
to read: lire
ready: prêt
real: vrai
really: vraiment
to recite: réciter
record: disque (m)
recreation room: salle de récréation (f)
red: rouge, roux
  he has red hair: il a les cheveux roux
refrigerator: réfrigérateur (m)
regular: ordinaire
to relax: se détendre
to remain: rester
to repair: réparer
reporter: reporter (m)
reputation: réputation (f)
responsibility: responsabilité (f)
restaurant: restaurant (m)
to return:
  to come back: revenir
  to go back: retourner
  to give back: rendre
revolver: revolver (m)
Rhine (river): Rhin (m)
rich: riche
right: to be right: avoir raison
right: droit
  (on, to) the right: à droite
river: rivière (f)
  river flowing into the sea: fleuve (m)
road: route (f)
roast(ed): rôti
to rob: voler
room: pièce (f), salle (f)
rose: rose (f)

Russia: Russie (f)
Russian: Russe (m, f)

sad: triste
safe: coffre-fort (m)
safe and sound: sain et sauf
Saint Lawrence River: Saint-Laurent (m)
salad: salade (f)
salary: salaire (m)
salesman: vendeur (m)
saleswoman: vendeuse (f)
same: même
sandwich: sandwich (m)
Santa Claus: père Noël (m)
sardine: sardine (f)
Saskatchewan: Saskatchewan (f)
satisfied: content
Saturday: samedi (m)
  on Saturday(s): le samedi
to save (money): mettre de côté
say!: dis donc!
to say: dire
scene: paysage (m); scène (f)
school: école (f)
  secondary school (in Canada): école secondaire (f)
  high school (in France): lycée (m)
science: sciences (f pl.)
to score (a goal): compter
sea: mer (f)
season: saison (f)
second: deuxième (2e)
second (of time): seconde (f)
secondary: secondaire
secret: secret (m), secrète (f)
to see: voir
  to see again: revoir
to seem: sembler
to sell: vendre
to send: envoyer
separated: séparé (m), séparée (f)
September: septembre (m)
series: série (f)
serious: sérieux (m), sérieuse (f)
to serve: servir
to set the alarm: mettre le réveil
seventh: septième (7e)
several: plusieurs
sharp (intelligent): malin
to shave: to get shaved: se raser
shirt: chemise (f)
shoe: soulier (m)
to shoot (a gun): tirer
to shoot (a puck): lancer
shop: boutique (f)
shop (school subject): atelier (m)
to shop: faire du shopping
shore: rive (f)
short: court
shortly after: peu après
shoulder: épaule (f)
show: spectacle (m)
to show: montrer
to shut: fermer
sick: malade
silence: calme (m)
silently: silencieusement

simple: simple
since: depuis
to sing: chanter
singer: chanteur (m), chanteuse (f)
single (unmarried): célibataire
sir: monsieur (m)
sister: soeur (f)
situation: situation (f)
sixth: sixième (6e)
to skate: patiner
skater: patineur (m), patineuse (f)
ski: ski (m)
to ski: skier
  to water ski: faire du ski nautique
skier: skieur (m), skieuse (f)
skirt: jupe (f)
sleeping bag: sac de couchage (m)
slowly: lentement
small: petit
to smoke: fumer
snail: escargot (m)
snake: serpent (m)
snow: neige (f)
  it's snowing: il neige
snowmobile: moto-neige (f)
so (adv.): si, tellement
so so: comme ci comme ça
sock: chaussette (f)
solid: solide
someone: quelqu'un
something: quelque chose
sometimes: quelquefois
somewhere: quelque part
son: fils (m)
soon: bientôt
sore: to have sore feet: avoir mal aux pieds
sorry: to be sorry (in apology): s'excuser
sort: sorte (f)
soup: soupe (f)
  soup of the day: potage du jour (m)
south: sud (m)
Soviet Union: U.R.S.S. (Union des Républiques Socialistes Soviétiques)(f)
Spain: Espagne (f)
Spanish (language): espagnol (m)
to speak: parler
specially: surtout
to spend (money): dépenser
to spend (time): passer
sport: sport (m)
spring: printemps (m)
  in spring: au printemps
stamp: timbre (m)
to start (to begin): commencer
station: train station: gare (f)
  service station: station-service (f)
to stay: rester
steak: bifteck (m)
  sirloin steak: entrecôte (m)
to steal: voler
sterile: stérile
stewardess: hôtesse de l'air (f)
still: encore, toujours
stocking: bas (m)
  nylon stocking: bas de nylon (m)
to stop (someone, something): arrêter
  to come to a stop: s'arrêter
store: magasin (m)

story (of a building): étage (m)
story: histoire (f)
   adventure story: histoire d'aventure (f)
   detective story: roman policier (m)
   love story: histoire d'amour (f)
   spy story: histoire d'espionnage (f)
strawberry: fraise (f)
street: rue (f)
student: élève (m, f)
to study: étudier
stupid: bête; stupide
   how stupid I am: que je suis bête
subject: sujet (m)
subject (school): matière (f)
subway: métro (m)
success: succès (m)
suddenly: soudain, tout à coup
sugar: sucre (m)
to suggest: suggérer
suggestion: suggestion (f)
suitcase: valise (f)
summer: été (m)
   in summer: en été
sun: soleil (m)
   it's sunny: il fait du soleil
Sunday: dimanche (m)
superintendent: commissaire (m)
supermarket: supermarché (m)
superstitious: superstitieux (m), superstitieuse (f)
supper: Canada: souper (m)
   France: dîner (m)
sure: certain, sûr
surprise: surprise (f)
surprised: surpris
surprising: étonnant
sweater: chandail (m)
to swim: nager
swimmer: nageur (m), nageuse (f)
system: système (m)

table: table (f)
to take: prendre
talent: talent (m)
to talk: parler
tall: grand
taxi: taxi (m)
tea: thé (m)
to teach: enseigner
teacher: professeur (m), prof (m)
   dancing teacher: professeur de danse (m)
team: équipe (f)
telephone: téléphone (m)
to telephone: téléphoner
television: télé (f), télévision (f)
to tell: dire
tennis: tennis (m)
   to play tennis: jouer au tennis
tenth: dixième (10e)
terribly: terriblement
territory: territoire (m)
test: test (m)
thank you: merci
that: ça
   That's it!: That's the one!: C'est ça!
that (conj.): que
that (adj.): ce (m), cet (m), cette (f)

theatre: théâtre (m)
then: at that time: alors
   then: in a series: puis
there: là, y
   down there, over there: là-bas
there is, there are: (pointing): voilà;
   (saying something exists): il y a
these (adj.): ces (pl.)
they (impersonal), one: on
thief: voleur (m)
thin: mince
thing: chose (f)
to think: penser
third: troisième (3e)
thirsty: to be thirsty: avoir soif
this (adj.): ce (m), cet (m), cette (f)
those (adj.): ces (pl.)
thousands: milliers (m pl.)
throat: gorge (f)
to throw: jeter
Thursday: jeudi (m)
ticket: billet (m)
   one-way ticket: aller simple (m)
   return ticket: aller retour (m)
tie: cravate (f)
time: fois (f); temps (m)
   all the time: tout le temps
   (for) a long time: longtemps
   the first time: la première fois
time: to have a good time: s'amuser
timetable: emploi du temps (m)
tired: fatigué (m), fatiguée (f)
to: à, en
today: aujourd'hui
together: ensemble
toilet: toilette (f)
tomato: tomate (f)
tomorrow: demain
too (also): aussi
too (many, much): trop
too bad!: tant pis!
tooth: dent (f)
top: sommet (m)
tough!: tant pis!
tour: tour (m)
town: ville (f)
tragedy: tragédie (f)
train: train (m)
   by train: en train
to translate: traduire
transportation: transport (m)
to travel: voyager
traveller: voyageur (m), voyageuse (f)
to tremble: trembler
trip: voyage (m)
true: vrai
truth: vérité (f)
to try: essayer
Tuesday: mardi (m)
to turn: tourner
twelfth: douzième (12e)
typing: dactylographie (f)
typist: dactylographe (m, f)

uncle: oncle (m)
under: sous

to understand: comprendre
unfortunately: malheureusement
United States: États-Unis (m)
university: université (f)
unmarried: célibataire
until: jusqu'à
up: to get up: se lever
  to go up: monter
up to: jusqu'à
to use: employer
usual: as usual: comme toujours
usually: d'habitude

vacation: vacances (f pl.)
  on vacation: en vacances
vain: in vain: en vain
vase: vase (m)
vast: vaste
very: très
view: vue (f)
village: village (m)
visit: visite (f)
to visit: visiter
vocabulary: vocabulaire (m)

wage: salaire (m)
to wait (for): attendre
waiter: garçon (m)
to wake (someone up): réveiller
  to wake up: se réveiller
to walk: marcher
to want: désirer, vouloir
warm: chaud
  it's warm (weather): il fait chaud
  to be warm (person): avoir chaud
  to be warm (thing): être chaud
to wash (someone, something): laver
washed: to get washed: se laver
to watch: regarder
water: eau (f)
to water ski: faire du ski nautique
way: manière (f)
  in this way: de cette manière
to wear: porter
weather: temps (m)
  What's the weather like?: Quel temps fait-il?
Wednesday: mercredi (m)
week: semaine (f)
  all week: toute la semaine
weekend: weekend (m)
weight: poids (m)
  to lose weight: perdre du poids
well: bien
  to be well: aller bien
  well then: eh bien
west: ouest (m)
what (adj.): quel (m), quelle (f)
  what a noise!: quel bruit!
what (interrog. pro.): qu'est-ce qui, qu'est-ce que
What does that come to?: Ça fait combien?
when: quand
where: où
while: in a little while: a little while ago: tout à l'heure

whisky: whisky (m)
whistle (sound): coup de sifflet (m)
white: blanc (m), blanche (f)
who: qui
whom: qui est-ce que
why: pourquoi
wicket: guichet (m)
wife: femme (f)
to win: gagner, remporter la victoire
wind: vent (m)
windy: it's windy: il fait du vent
window: fenêtre (f)
wine: vin (m)
winter: hiver (m)
  in winter: en hiver
with: avec
without: sans
woman: femme (f)
to wonder: se demander
word: mot (m)
work: travail (m)
to work: travailler
workman: travailleur (m)
world: monde (m)
worm: ver (m)
wow!: fantastique!, formidable!
to write: écrire
written: composé (m), composée (f)
wrong: to be wrong: avoir tort

year: an (m), année (f)
  to be ... years old: avoir ... ans
  last year: l'année passée
yellow: jaune
yes: oui, si
yesterday: hier
yet: encore
you (impersonal), one, they: on
young: jeune
youth hostel: auberge de la jeunesse (f)

DICTIONNAIRE FRANÇAIS — ANGLAIS

accompli: accomplished, finished
acheter: to buy
actif (m), active (f): active
aéroport (m): airport
africain: African (adj.)
âge (m): age
  Quel âge a-t-il?: How old is he?
agence (f): agency
agent de police (m): policeman
agréable: pleasant
aider: to help
ailier droit (m): right wing (hockey player)
aimer: to like, to love
Allemagne (f): Germany
allemand: German (adj.)

aller: to go
  aller bien: to be fine, to be well
alors: then; so
Amérique du Nord (f): North America
ami (m): friend, boy friend
amie (f): friend, girl friend
amour (m): love
amuser: to amuse
  s'amuser: to have a good time
an (m): year
  avoir ... ans: to be ... years old
anglais: English
Anglais (m): Englishman
Angleterre (f): England
animal (m s.), animaux (m pl.): animal
année (f): year
  l'année passée: last year
anniversaire (m): birthday; anniversary
août (m): August
appareil (m): camera
apparence (f): appearance
apporter: to bring
apprendre: to learn
s'approcher de: to approach
après: after
  peu après: shortly after
après-midi (m): afternoon
argent (m): money; silver
arrêter: to stop (someone, something); to arrest
  s'arrêter: to come to a stop
arrivée (f): arrival
assez: enough
attendre: to wait (for)
attention: fair attention: to pay attention
auberge de la jeunesse (f): youth hostel
aujourd'hui: today
au revoir: goodbye
aussi: also
  aussi ... que: as ... as
auteur (m): author
autobus (m): bus
automne (m): fall
autour de: around
autre: other
autrement: otherwise
avant: before
avec: with
aventure (f): adventure
avion (m): airplane
avis (m): opinion
  à mon avis: in my opinion
avocat (m): lawyer
avoir: to have

bagages (m pl.): luggage
bande (f): gang
bandes dessinées (f pl.): comics
banque (f): bank
bas (m): stocking
  bas de nylon (m): nylon stocking
bateau (m s.), bateaux (m pl.): boat
bâtiment (m): building
beau (m), belle (f): handsome, beautiful
  il fait beau: it's nice weather
beaucoup: much, many, a lot of

Belgique (f): Belgium
besoin: avoir besoin de: to need
bête: stupid
  Que je suis bête!: How stupid I am!
bicyclette (f): bicycle
bien: well
  aller bien: to be fine, to be well
  bien sûr: of course
  eh bien: well then
bientôt: soon
bilingue: bilingual
billet (m): ticket
blague: sans blague: no kidding
blanc (m), blanche (f): white
bleu: blue
boisson (f): drink
bon (m), bonne (f): good; right (correct)
bonbon (m): candy
bouche (f): mouth
bouger: to move
bouteille (f): bottle
boutique (f): shop
bras (m): arm
brouillard: il fait du brouillard: it's foggy
bruit (m): noise
bureau (m): desk; office

ça: that
  ça doit être: it must be
  Ça fait ...: That comes to
  Ça fait combien?: What does that come to?
  Ça va: I'm fine; O.K.; That's fine
  Ça va?: How are you?; How are things?
  ça veut dire: that means
  C'est ça!: That's it! You're right! That's the one!
cadeau (m s.), cadeaux (m pl.): gift, present
café (m): coffee
cahier (m): notebook
caissière (f): cashier
calèche (f; horsedrawn carriage
campagne (f): country(side)
candidat (m): applicant
caractère (m): character (personality)
carrière (f): career
carte (f): card
  carte de crédit (f): credit card
casser: to break
célèbre: famous
chaise (f): chair
chambre (à coucher) (f): bedroom
chance (f): luck
chandail (m): sweater
chanter: to sing
chanteur (m), chanteuse (f): singer
chapeau (m): hat
chaque: each, every
chaud: hot, warm
  avoir chaud: to be warm (person)
  être chaud: to be warm (thing)
  il fait chaud: it's warm (weather)
chauffeur (m): driver
chaussette (f): sock
chemise (f): shirt
cher (m), chère (f): expensive
chercher: to look for
cheval (m s.), chevaux (m pl.): horse

138

cheveux (m pl.): hair
chez: at the home of
chien (m): dog
Chine (f): China
choisir: to choose
choix (m): choice
chose (f): thing
cinéma (m): movies
clef (f): key
coffre-fort (m): safe
coiffeur (m): hairdresser
Colombie-Britannique (f): British Columbia
combien: how many, how much
  Ça fait combien?: What does that come to?
comme: as
  comme ça: like that
  comme ci comme ça: so so
  comme toujours: as always
commencer: to begin
comment: how
commissaire (m): superintendent
compagnie (f): company
compléter: to complete
comprendre: to understand
connaître: to know (a person, place)
consonne (f): consonant
content: happy, satisfied, pleased
copain (m): friend
corps (m): body
côté: mettre de côté: to save (money)
coucher: to put someone to bed
  se coucher: to go to bed
couleur (f): colour
  de quelle couleur: what colour
cours d'études (m): course of studies
court: short
cousin (m), cousine (f): cousin
coûter: to cost
cratère (m): crater
cravate (f): tie
crayon (m): pencil
créer: to create
crème (f): cream
crois: je te crois: I believe you
cuisine (f): kitchen

dactylographe (m,f): typist
dame (f): lady
dames (f pl.): checkers
  jouer aux dames: to play checkers
Danemark (m): Denmark
dangereux (m), dangereuse (f): dangerous
dans: in
danseur (m), danseuse (f): dancer
débarquer: to get off a boat
décrire: to describe
déjà: already
déjeuner (m): breakfast, lunch
  petit déjeuner (m): breakfast
demain: tomorrow
demander: to ask
  se demander: to wonder
de nos jours: nowadays
dent (f): tooth
départ (m): departure
se dépêcher: to hurry

dépenser: to spend
depuis: since, for
  depuis quand: how long, since when
dernier (m), dernière (f): last
derrière: behind
descendre: to come (go) down
désirer: to want, to wish
dessin (m): art
détail (m): detail
devant: in front of
devenir: to become
devoir: to have to, must
devoirs (m pl.): homework
d'habitude: generally, usually
difficile: difficult
dimanche (m): Sunday
  le dimanche: on Sundays
dîner (m): dinner
dire: to say, to tell
  ça veut dire: that means
directeur (m): principal
disparu: disappeared
disque (m): record
distrait: absent-minded
doigt (m): finger
donner: to give
dos (m): back
droit: right
  à droite: (to, on) the right
  tout droit: straight ahead

eau (f): water
échecs (m pl.): chess
  jouer aux échecs: to play chess
école (f): school
écouter: to listen (to)
écrire: to write
église (f): church
eh bien: well then
élève (m, f): pupil, student
emploi (m): job
employer: to use
emprunter: to borrow
encore: again, still, yet
s'endormir: to fall asleep
endroit (m): place
enfant (m, f): child
enfin: at last, finally
énorme: enormous
ensemble: together
entendre: to hear
entre: between
entrer: to enter
envoyer: to send
épaule (f): shoulder
épouser: to marry
équipe (f): team
erreur (f): error
escargot (m): snail
espionnage: histoire d'espionnage (f): spy story
essayer de: to try
essence (f): gas(oline)
étage (m): floor, storey (of a building)
  au ... étage: on the ... floor
États-Unis (m): United States
été (m): summer

en été: in summer
être: to be
étudier: to study
exactement: exactly
expliquer: to explain

facile: easy
facture (f): bill
faim: avoir faim: to be hungry
faire: to do, to make
  ça fait ... : that comes to
  faire du camping: to camp
  faire du pouce: to hitch-hike
  faire du shopping: to shop
  faire du ski nautique: to water-ski
famille (f): family
fatigué: tired
femme (f): wife; woman
fenêtre (f): window
fermer: to shut, to close
fille (f): daughter; girl
finir: to finish
fleuve (m): river (flowing into the sea)
fois (f): time
formidable!: great!, wow!
fou (m), folle (f): crazy
frais: cool
  il fait frais: it's cool
fraise (f): strawberry
français: French
Français (m): Frenchman
frère (m): brother
froid: cold
  avoir froid: to be cold (person)
  être froid: to be cold (thing)
  il fait froid: it's cold (weather)
fromage (m): cheese
fumer: to smoke

gagner: to earn; to win
garagiste (m): service station attendant
garçon (m): boy; waiter
gare (f): train station
gâteau (m s.), gâteaux (m pl.): cake
gauche: left
  à gauche: (on, to) the left
gens (m pl.): people
gentil: nice
géographie (f): geography
glace (f): ice; ice cream
grand: big, large, tall
grand-père (m): grandfather
gris: gray
gros (m), grosse (f): big, fat, large
guichet (m): wicket

habiller: to dress someone else
  s'habiller: to get dressed
habiter: to live
habitude: d'habitude: usually
heure (f): hour

heureux (m), heureuse (f): happy
hier: yesterday
histoire (f): history; story
historique: historic
hiver (m): winter
  en hiver: in winter
homme (m): man
hôtesse de l'air (f): stewardess
huile (f): oil

ici: here
île (f): island
Île du Prince-Édouard (f): Prince Edward Island
imperméable (m): raincoat
impressionnant: impressive
indien: Indian (adj.)
indiquer: to indicate
intéressant: interesting
intéresser: to interest
intérêt (m): interest

jamais: ever
  ne ... jamais: never
jambe (f): leg
japonais: Japanese (adj.)
jaune: yellow
jeter: to throw
jeu (m): game
jeudi (m): Thursday
jeune: young
jeune fille (f): girl
joli: pretty
jouer: to play
joueur (m): player
jour (m): day
  de nos jours: nowadays
  par jour: a (per) day
  tous les jours: every day
journal (m s.), journaux (m pl.): newspaper
journée (f): day
juillet (m): July
juin (m): June
jupe (f): skirt
jus (m): juice
jusqu'à: up to; until
juste: just, fair

là: there
là-bas: over there
lac (m): lake
laisser: to leave (behind)
lait (m): milk
langue (f): language
laver: to wash (someone, something)
  se laver: to get washed
leçon (f): lesson
lecture (f): reading (selection)
lentement: slowly
lever: to lift, to raise
  se lever: to get up

libre: free
ligne (f): line
lire: to read
lit (m): bed
livre (m): book
long (m), longue (f): long
longtemps: (for) a long time
lundi (m): Monday
lune (f): moon

mademoiselle (Mlle): Miss
magasin (m): store
mai (m): May
main (f): hand
maintenant: now
mais: but
maison (f): house
mal: badly
  avoir mal à: to have pain in
  ce n'est pas mal: it's not bad
malade: sick
malheureusement: unfortunately
malin: intelligent, sharp
manger: to eat
manière (f): way
  de cette manière: in this way
manquer: to miss, to be missing
manteau (m): coat
maquiller: se maquiller: to make up (face)
marcher: to walk
  son auto ne marche pas: his car isn't working
mardi (m): Tuesday
mari (m): husband
match (m): game
matière (f): school subject
matin (m): morning
  le matin: in the morning(s)
mauvais: bad
  il fait mauvais: it's bad weather
meilleur: better (adj.)
  le meilleur (m), la meilleure (f): best (adj.)
même: same; even
mentir: to tell a lie
mercredi (m): Wednesday
mère (f): mother
mettre: to put, to put on
  mettre de côté: to save (money)
  mettre le réveil: to set the alarm
Mexique (m): Mexico
midi (m): noon
mieux: better (adv.)
  le mieux: best (adv.)
minuit (m): midnight
moins: less
mois (m): month
monde (m): world
  tout le monde: everybody
monsieur (m): gentleman, Mr., sir
mont (m): mountain, hill
montagne (f): mountain
monter: to go up
montrer: to show
morceau (m s.), morceaux (m pl.): piece, bit
mot (m): word
  en d'autres mots: in other words
moto (f): motocyclette (f): motorcycle

moyen (m): means

nager: to swim
nageur (m): swimmer
nautique: ski nautique (m): water skiing
né (m), née (f): born
neige (f): snow
neiger: il neige: it's snowing
nez (m): nose
Noël (m): Christmas
  père Noël (m): Santa Claus
nom (m): name
nord (m): north
nourriture (f): food
nouveau (m), nouvelle (f): new
  de nouveau: again
Nouvelle-Écosse (f): Nova Scotia
nouvelles (f pl.): news
nuit (f): night
  la nuit: at night
numéro (m): number

objet (m): object
obtenir: to obtain
occupé: busy
offrir: to offer
on: one, they, you (impersonal)
oncle (m): uncle
ordinaire: regular
oreille (f): ear
ou: or
où: where
oublier: to forget
ouvrir: to open
  ouvert: opened

pain (m): bread
papier (m): paper
Pâques (m): Easter
par: by
  par jour: a (per) day
parce que: because
paresseux (m), paresseuse (f): lazy
parler: to speak, to talk
partie (f): part; game
partir: to leave, to go away
passé (m): past (tense)
passé: past (adj.)
  l'année passée: last year
passer: to spend (time); to pass
  se passer: to happen
passe-temps (m): pastime
passionnant: exciting
patiner: to skate
patineur (m): skater
patron (m): boss
pause-café (f): coffee-break
pauvre: poor
payer: to pay (for)
pays (m): country
paysage (m): scene

pêche (f): fishing
pêcher: to fish
pékinois: Pekinese
pendant: during
penser: to think
perdre: to lose
  perdre du poids: to lose weight
père (m): father
personnage (m): character (in a novel)
personne (f): person
personne: ne ... personne: no one, nobody
petit: little, small
peu: un peu: a little (a small amount)
  peu après: shortly after
peur: avoir peur: to be afraid
peut-être: perhaps
photo (f): picture, photograph
phrase (f): sentence
pièce (f): coin; room (of a house)
pied (m): foot
  à pied: on foot
  du bon pied: on the right foot
pique-nique (m): picnic
pittoresque: picturesque
plage (f): beach
plein: full
  faire le plein: to fill up (with gas)
pleut: il pleut: it's raining
pluie (f): rain
plus: more
  le (la, les) plus ... : the most ...
  ne ... plus: no more
  plus ... que: more ... than
plusieurs: several
plus tard: later
pneu (m): tire
pois (m pl.): petits pois: peas
poisson (m): fish
policier: involving the police
  programme policier (m): detective program
  roman policier (m): detective story
pomme (f): apple
pommes frites (f pl.): French fries
port (m): harbour
porte (f): door
porter: to carry; to wear
poser: poser une question: to ask a question
poulet (m): chicken
pour: for
pourquoi: why
pouvoir: to be able, can, may, to have permission
préférer: to prefer
  préféré: favourite, preferred
premier (1er) (m), première (1re) (f): first
prendre: to take; to eat (something)
près de: near
presque: almost
prêt: ready
prêter: to lend
printemps (m): spring
  au printemps: in spring
prix (m): price
prochain: next
prof (m): professeur (m): teacher
projet (m): plan, project
psychiatre (m): psychiatrist
puis: then

quand: when
quartier (m): neighbourhood
que: that (conj.)
quel (m), quelle (f): what (adj.)
quelque chose: something
quelquefois: sometimes
quelques: a few
quelqu'un: someone
qu'est-ce que: what
qu'est-ce qui: what
qui: who, that, which
qui est-ce que: whom
quitter: to leave

raison (f): reason
  avoir raison: to be right
raser: to shave
  se raser: to get shaved
recommencer: to begin again
regarder: to watch, to look at
rendre: to give back
rentrer: to go back, to go home, to come home
repas (m): meal
répondre: to answer
réponse (f): answer
ressembler à: to look like
rester: to remain, to stay
retard: en retard: late
retourner: to return, to go back
réveiller: to wake someone up
  se réveiller: to wake up
revoir: to see again
  au revoir: goodbye
rien: ne ... rien: nothing
  ça ne fait rien: that doesn't matter
rive (f): shore
rivière (f): river
robe (f): dress
roman (m): novel
  roman policier (m): detective story
rôti: roast(ed)
route (f): highway, road
Russe (m): Russian

sac (m): bag
  sac à main (m): purse
  sac de couchage (m): sleeping bag
Saint-Laurent (m): Saint Lawrence River
saison (f): season
salaire (m): salary, wage
salle de bain (f): bathroom
salon (m): living room
salut!: hi!
samedi (m): Saturday
  le samedi: on Saturdays
sans: without
  sans blague: no kidding
sauter: to jump
savoir: to know (a fact), to know how
selon: according to
semaine (f): week
  toute la semaine: all week
sembler: to seem

sens (m): sense
seul: alone
seulement: only
si: yes; if
silencieusement: silently
s'il te plaît: s'il vous plaît: please
skier: to ski
   faire du ski nautique: to water ski
soeur (f): sister
soif: avoir soif: to be thirsty
soir (m): evening
   le soir: in the evening(s)
soleil (m): sun
   il fait du soleil: it's sunny
sommet (m): top
sortir: to go out
soudain: suddenly
souffler: to blow
soulier (m): shoe
souper (m): supper
sous: under
souvent: often
spatial: cabine spatiale (f): space cabin
spectacle (m): show
station-service (f): service station, garage
stylo (m): pen
sucre (m): sugar
suggérer: to suggest
suivant: following
suivre: to follow
sujet (m): subject
sur: on
sûr: sure, certain
surtout: specially

tapis (m): carpet
tard: late
tarte (f): pie
télé (f): television
tellement: so
temps (m): time; weather
   Quel temps fait-il?: What's the weather like?
   tout le temps: all the time
terre (f): ground, earth
Terre des Hommes (f): Man and his World
Terre-Neuve (f): Newfoundland
territoire (m): territory
Territoires du Nord-Ouest (m):
                 Northwest Territories
tête (f): head
thé (m): tea
timbre (m): stamp
tirer: to pull; to shoot (a gun)
tiroir (m): drawer
tomber: to fall
   tomber évanoui: to faint
tort: avoir tort: to be wrong
tôt: early
toujours: always, still
   comme toujours: as always
tour (m): tour du monde: trip around the world
tout:
   tout (pronoun): everything
   tout (adj.): tout (tous) (m),
         toute (toutes) (f): all, the whole
   tout droit: straight ahead
   tout le monde: everybody
   tout le temps: all the time

   toute la semaine: all week
   tous les jours: every day
tout à coup: suddenly
tout de suite: immediately
traduire: to translate
transport (m): transportation
travail (m): work
travailler: to work
très: very
triste: sad
trop: too (many, much)
trouver: to find

U.R.S.S. (Union des Républiques Socialistes
               Soviétiques) (f): Soviet Union
usine (f): factory

vacances (f pl.): holidays, vacation
valise (f): suitcase
vaste: vast, huge
vendeur (m): salesman
vendre: to sell
vendredi (m): Friday
venir: to come
vent (m): wind
   il fait du vent: it's windy
vérifier: to check
vérité (f): truth
verre (m): glass
vers: around; towards
vert: green
vêtements (m pl.): clothes
vide: empty
vie (f): life
vieux (m), vieille (f): old
   mon vieux: old buddy, pal
ville (f): city, town
   en ville: downtown
vin (m): wine
visage (m): face
vite: fast, quickly
vive … !: long live … !
vivre: to live
voici: here is, here are
voilà: there is, there are
voir: to see
voiture (f): car
voler: to steal, to rob; to fly
voleur (m): thief
voudrais: je voudrais: I would like
vouloir: to want
   ça veut dire: that means
voyage (m): trip
   Bon voyage!: Have a good trip!
voyager: to travel
voyageur (m): traveller
voyelle (f): vowel
vrai: true, real
vraiment: really
vue (f): view

y: there
   il y a: there is, there are
yeux (m pl.): eyes

zut!: darn it!

INDEX